Albert Mark

MANUALIDADES

DE PAPEL

"PAPIROFLEXIA"

Albor
LIBROS

TÍTULO: MANUALIDADES DE PAPEL "PAPIROFLEXIA"
AUTOR: ALBERT MARK

©2011 ALBA LIBROS, S.L.
  C/ Albasanz, 67, 1º, ofi.26
  Tel. : 91 571 60 01
  28037 Madrid

ALBOR LIBROS es una marca registrada de ALBA LIBROS S.L.

I.S.B.N. 84-96617-81-5
DEP. LEG: M-26818-2011

Impreso por: Book Box

PRÓLOGO

Crear figuras de papel es la manera más amena y divertida de pasar el rato, además de adquirir habilidad y destreza en las manos.

Con el papel se puede crear un sin fin de piezas y objetos que casi rozan la categoría de obras de arte.

Así se puede hacer desde el fácil antifaz para fiestas, casas, figuras y animales, hasta trajes de disfraces; sin más requisito que papel, tijeras e imaginación; acompañado además de acuarelas si se quiere pintar lo que se crea.

El arte de la Papiroflexia está claro que es una manera de entretenerse, aunque también tiene muchas más cosas. Realmente, está considerado como un juego lleno de ingenio, el cual requiere mucha paciencia; lo que lleva a ser ideal para ejercitar ambas facultades de cada persona. Cuando se está haciendo Papiroflexia, la mente de la persona está completamente ocupada en lo que está realizando liberándose plenamente de todas las tensiones del momento, y disfrutando de lo divertido que es convertir una hoja de papel o cualquier otra cosa simple en un objeto animado o inanimado.

Este pequeño Manual de Papiroflexia, está pensado para hacerte pasar a ti, lector, buenos ratos de diversiones y aficionarte a este antiguo arte, porque quien se aficiona a la Papiroflexia, pronto disfruta de sus ventajas viendo las figuras que puede realizar con sus manos tan solo con una hoja de papel, paciencia e ingenio.

GORRO DE PAPEL

Créate tu propio gorro de papel siguiendo los pasos de los dibujos.

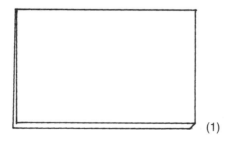

(1)

1. Necesitas un papel de mayor tamaño que un folio, si no lo tienes, lo puedes hacer en papel de periódico, doblándolo al centro (1).

5

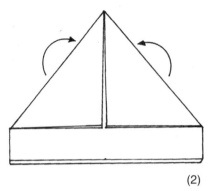

2. Dobla hacia el centro arriba el lateral izquierdo y el derecho, creando lo que ves en el dibujo (2).

(2)

3. Dobla ahora hacia arriba las lengüetas de abajo, una hacia atrás, y otra hacia delante. (3).

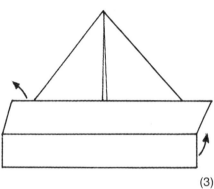

(3)

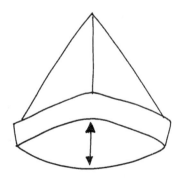

(4)

4. Sólo te queda fijar los extremos de las lengüetas una con otra, y con esto tu gorro queda terminado. (4).

Ábrelo por abajo y ia jugar con él!.

BARQUITO DE PAPEL

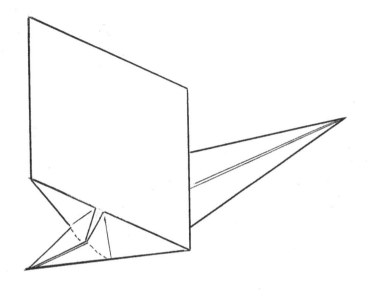

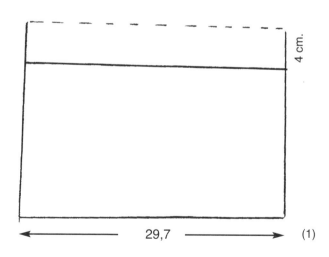

4 cm.

29,7 (1)

Toma entre tus manos un folio de papel y puesto en horizontal córtale a lo largo de un lateral 4 cm., línea de puntos dibujo (1).

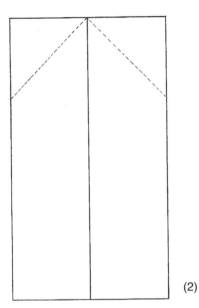

(2)

Luego dobla los laterales de arriba hacia el centro, dibujo 2, líneas de puntos.

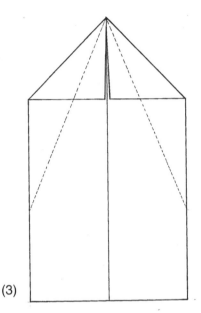

(3)

Dobla las esquinas hacia el centro para obtener el resultado que ves en el dibujo (3), indicándote nuevamente la línea de puntos el siguiente doblez.

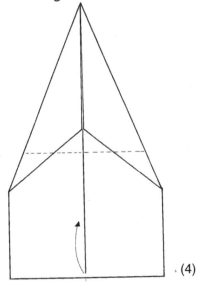

(4)

Tienes la figura así, dibujo (4); dobla por la línea de puntos de abajo arriba conforme indica la flecha.

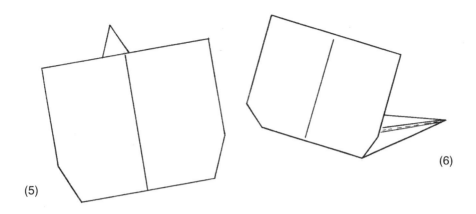

(5)

(6)

La figura te va quedando conforme el dibujo (5) y (6).

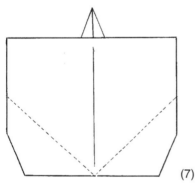

(7)

Dobla nuevamente por la línea de puntos, dibujo (7) que te dará el dibujo (8), donde tienes tu barquito de vela acabado.

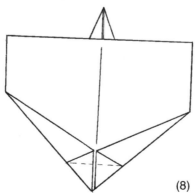

(8)

OTRO MODELO DE BARQUITO DE PAPEL

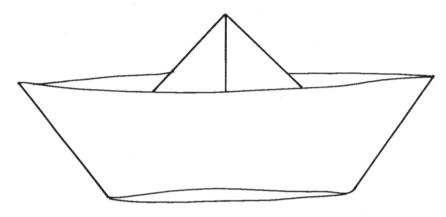

Se realiza sobre una hoja rectangular que bien puede ser un folio, o una hoja de tu cuaderno; nosotros siempre trabajamos sobre folio.

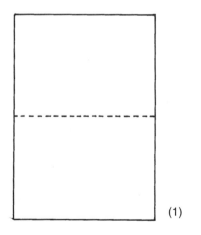

(1)

1. Toma tu folio y lo pones en vertical, conforme ves en el dibujo (1), la línea de puntos te indica que dobles la hoja de arriba abajo.

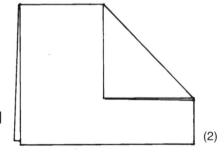

(2)

2. Dobla hacia abajo el lateral derecho, dibujo (2).

3. Luego doblas también hacia abajo el lateral izquierdo dejando tu hoja conforme el dibujo (3).

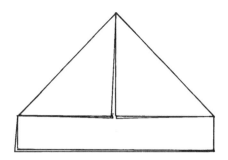

(3)

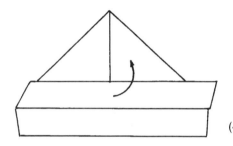

(4)

4. El siguiente paso, es doblar hacia arriba las lengüetas de abajo, una por delante y la otra por detrás, dibujo (4).

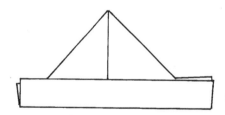

(5)

Hasta ahora tu papel se encuentra como lo ves en el dibujo (5); tienes que convertirlo en un cuadrado; esto lo consigue desdoblándolo introduciendo los pulgares de ambas manos por el hueco de abajo y dándole la vuelta dibujo (6)

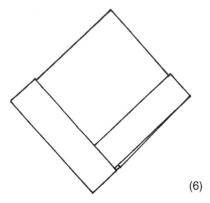

(6)

5. Dobla el cuadrado por la parte abierta para arriba, primero una parte y luego la otra, dibujo (7)

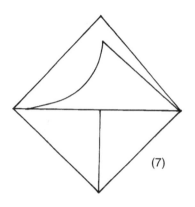

(7)

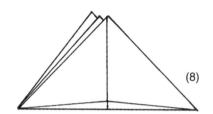

(8)

Tu papel te quedará conforme ves en el dibujo (8); introduce nuevamente los dedos por abajo, le das la vuelta y lo conviertes en otro cuadrado dibujo (9)

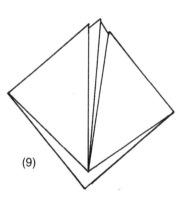

(9)

6. Toma con tu mano izquierda el punto A, y con tu mano derecha el punto B, ábrelo y ya tienes tu barquito de papel.

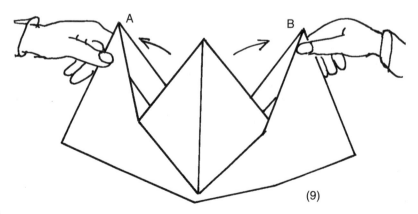

(9)

BARCO VELERO

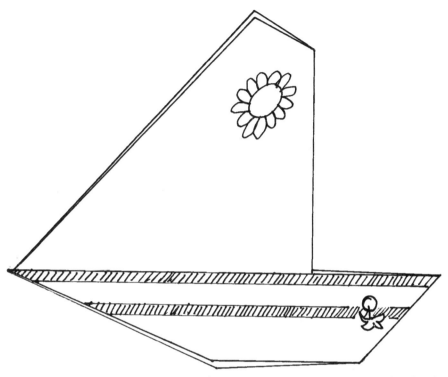

El barquito velero es muy fácil de hacer, sobre un cuadrado de papel de 21x21 y con seguir las pautas que te marcamos.

1. Dobla tu cuadrícula de derecha a izquierda por la línea de puntos como te indica el dibujo (1); con ello obtienes el resultado del dibujo (2).

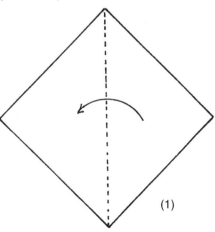

(1)

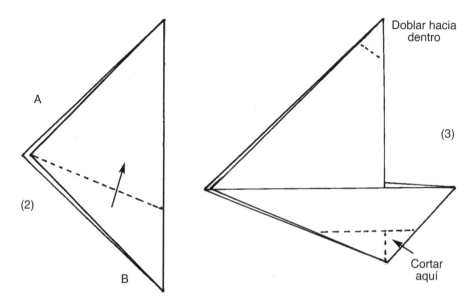

2. Dobla el punto B, mide 9,5 cms. hacia arriba para doblar desde A, a ese punto; una parte del papel para cada lado, quedándote la figura conforme el dibujo (3).

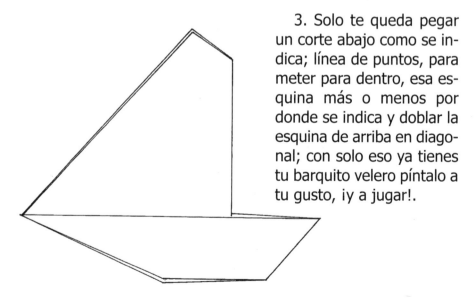

3. Solo te queda pegar un corte abajo como se indica; línea de puntos, para meter para dentro, esa esquina más o menos por donde se indica y doblar la esquina de arriba en diagonal; con solo eso ya tienes tu barquito velero píntalo a tu gusto, ¡y a jugar!.

AVIÓN DE PAPEL

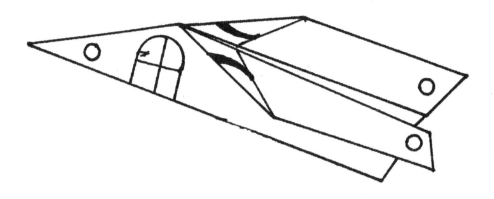

Con un folio de papel, o, una hoja de tu cuaderno rectangular puedes hacer este bonito avión planeador, tipo concorde.

1 Sitúa el folio, o la hoja elegida, en posición vertical como ves en el dibujo 1. Dobla al centro en esa misma posición, (línea discontinua), y desdóblalo.

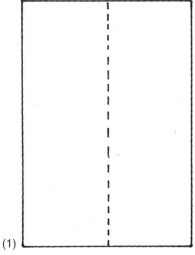

(1)

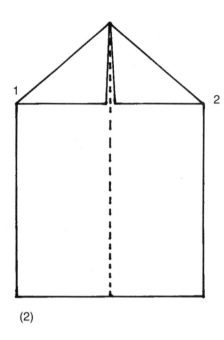

(2)

2. Dobla ahora los dos extremos de arriba hacia el centro como ves en el dibujo (2).

3. Tomas los puntos 1 y 2, los vuelves a doblar hacia dentro, como te indica el dibujo (3).

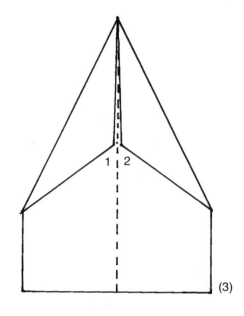

(3)

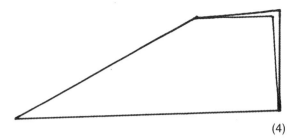

4. Vuelves a doblar el primer doblez que desdoblaste y tendrás el avión tal y como ves, dibujo (4).

(4)

5. Dobla lo que serían las alas de tu planeador, una a la derecha, y otra a la izquierda, dibujo (5), línea discontinua.

(5)

Ya tienes tu avión planeador tipo concorde, píntalo si quieres a tu gusto, y a ¡jugar!.

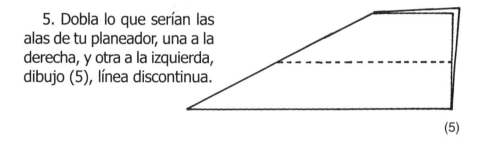

(6)

ESTRELLA DE NAVIDAD

Entre las manualidades de papel, hay algunas que se pueden realizar también para hacer algún truco con los amigos; como es el caso de la estrella de Navidad.

El truco consiste en crear la estrella, que como ves en el dibujo, es de cinco puntas, luego más adelante hablaremos de la ráfaga que toda estrella de Navidad lleva consigo.

Sigue las instrucciones de los dibujos paso a paso y sabrás cómo hacer tu propia estrella de cinco puntas para la Navidad, de un solo corte de papel.

1. Toma entre tus manos una hoja de papel rectangular; que bien puede ser un folio, o una hoja de tu cuaderno. Puesto en vertical lo doblas al centro de arriba abajo conforme te indica el dibujo, línea discontinua, dibujo (1).

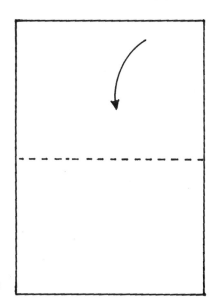

(1)

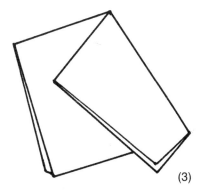

(2)

2. Obtienes este resultado. La línea discontinua te muestra nuevamente por dónde tienes que efectuar el siguiente doblez de derecha a izquierda, dibujo (2).

3. El doblez efectuado del segundo paso; como a un tercio por la parte de arriba y a un quinto por la parte de abajo en diagonal, de tu papel tal como lo ves en el dibujo (3).

(3)

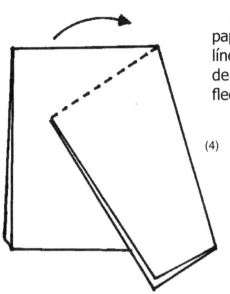

4. Sobre el apoyo del mismo papel doblado ahora señalado en línea discontinua, dobla hacia la derecha conforme te indica la flecha, dibujo (4).

(4)

5. Tu hoja de papel habrá tomado la forma que ves en el dibujo (5).

(5)

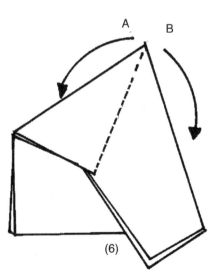

A B

(6)

6. Ahora dobla hacia dentro por la línea convertida en discontinua, que se encuentra detrás de los puntos A y B, dibujo (6).

7. Este es el último doblez; tu papel te queda como el dibujo (7); corta conforme se indica en la línea discontinua, despliega lo cortado y ya tienes tu estrella de cinco puntas para el portal de Belén.

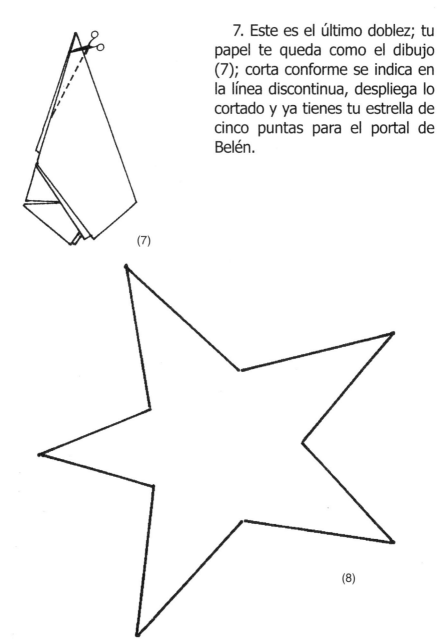

(7)

(8)

Esta estrella puede servirte como base para hacerla con otro material como papel plateado que es lo suyo para el portal. Y si la quieres grande, que el papel que utilices sea mayor también.

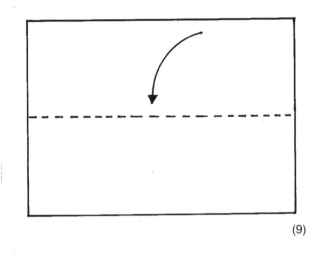

(9)

La ráfaga de la estrella tampoco ofrece ninguna dificultad para hacer; basta con doblar un folio al centro en horizontal como mostramos en el dibujo con las líneas discontinuas.

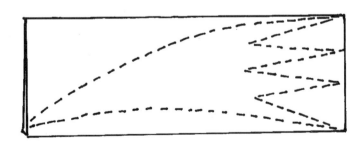

Te señala por dónde quieres cortar y corta; como te salen dos elige la que más te guste.

22

ELEFANTE DE LA SUERTE

Create tu propio elefante de la suerte copiando los dibujos en una cartulina recortándolo y pegando la cabeza y la alfombra.

PIRÁMIDE DE LA SUERTE

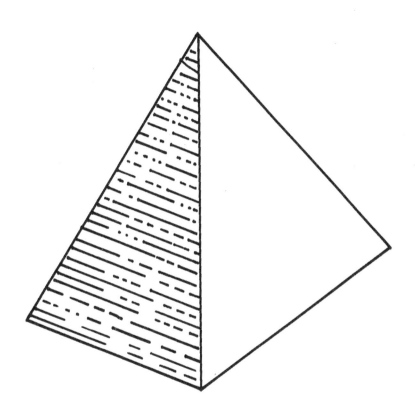

Crear una pirámide de la suerte es un trabajo medianamente fácil pero que además satisface mucho el tenerla en casa junto a una mesita o una vitrina. Poco se necesita para este bonito trabajo; tan solo un folio de cartulina, un tubo de pegamento, una tijera, regla y escuadras.

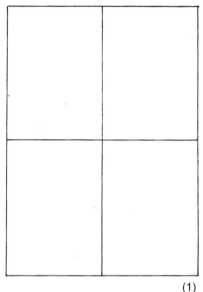

(1)

1. La medida de un folio como todos sabemos, es: 21 cms. de ancho por 29.7 cms. de alto. Pues bien, lo primero que tienes que hacer es poner delante de ti el folio de cartulina y dibujarle una cruz al centro en vertical y horizontal como ves en el dibujo (1). Si no quieres andar midiendo para encontrar el centro tanto vertical como horizontal de tu folio, lo puedes hacer de la siguiente forma que te explicamos a continuación: basta con que unas las esquinas en línea de cada lado del papel y presiones en el doblez que quedará señalado el centro; luego dibuja las dos líneas y ya está; localizando los centros; dibujo (2) y (3).

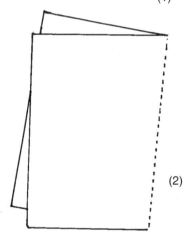

(2)

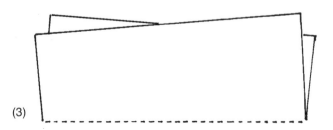

(3)

2. Ahora tienes que partir del centro de la cruz a un lado y otro. Empieza por dibujar un cuadrado de 9x9 cms., y luego 1 cm. a cada lado vertical para la pestaña; líneas de puntos, dibujo (4).

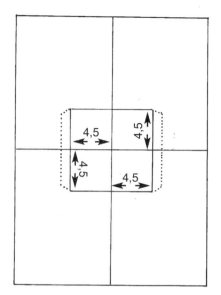

(4)

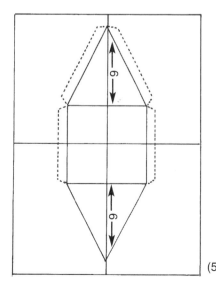

(5)

3. Dibuja a 9 cms. hacia arriba y hacia abajo, dibujando las líneas diagonales con el cuadro base, con lo que tienes dos caras de la pirámide y la peana, dibujo (5). Dibuja también la pestaña de 1 cm. en la parte de arriba.

27

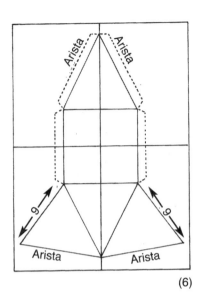

(6)

4. Para realizar las otras dos caras de la pirámide tienes que medir los 9 cms. en los laterales, como puedes observar en el dibujo (6), luego tomar la medida que te haya dado las aristas y esa misma medida darla a pie; con ello encuentras el punto de inclinación. Tu pirámide de la suerte está lista.

Sólo te queda cortar, doblar por las líneas dibujadas para dentro y pegar sobre las pestañas; ayúdate de la regla y escuadra para fijar los dobleces.

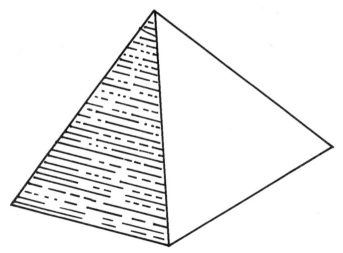

PIRÁMIDE DE PAPEL

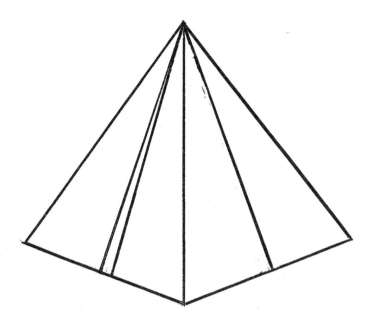

1. A diferencia de la pirámide de la suerte que es medianamente fácil, la pirámide de papel si es muy fácil, para llevarla a cabo tienes que disponer de un cuadrado de papel del tamaño que a ti te guste, dobla las diagonales y el centro horizontal en ambos sentidos y desdoblalo tal como ves en el dibujo (1) en líneas de puntos.

(1)

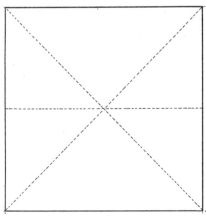

2. Dobla de arriba hacia abajo tu cuadrado de papel tal y como ves en el dibujo (2); las líneas de puntos, son los dobleces marcados que te facilitarán en tu trabajo.

29

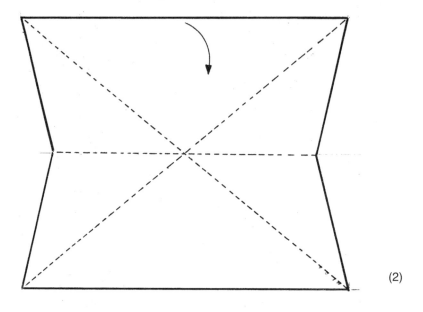

(2)

3. Introduce el lateral derecho con la ayuda de los dobleces del principio y seguidamente el izquierdo como ves en el dibujo 3.

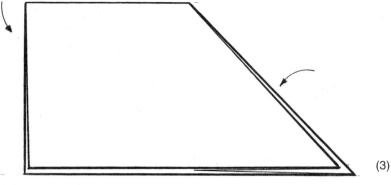

(3)

4. Dobla A hacia la izquierda y B a la derecha al centro solo uno de los pliegues, dibujo (4).

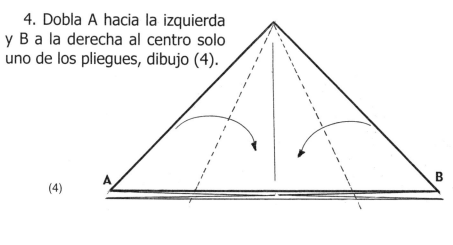

(4)

5. Tu pirámide presenta el aspecto que ves en el dibujo (5), tienes que voltear y repetir la misma operación con C y D.

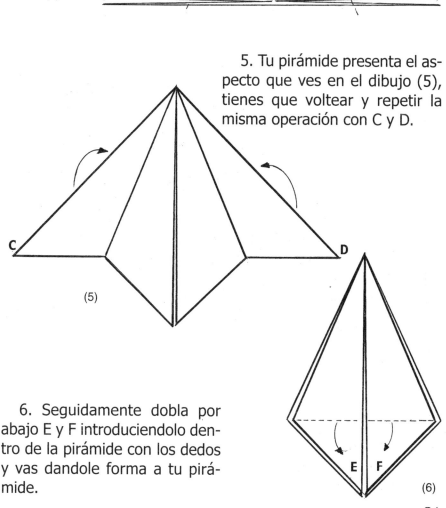

(5)

6. Seguidamente dobla por abajo E y F introduciéndolo dentro de la pirámide con los dedos y vas dándole forma a tu pirámide.

(6)

TORNADO DE PAPEL

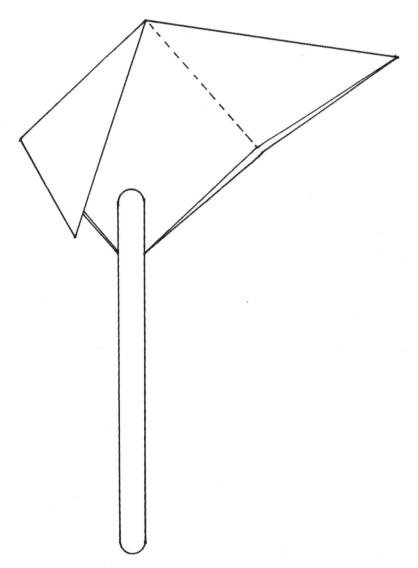

Para crear un tornado de papel, necesitas un cuadrado de papel de 12 x 12 cms. y una caña de unos 25 cms.; si no dispones de caña, puedes usar una pajita de plástico de las de beber zumos.

1. Una vez conseguido tu cuadrado de papel de tamaño indicado, 12 x 12, dóblalo en diagonal señalando el dibujo con línea discontinua. (1). Obtienes este resultado (2)

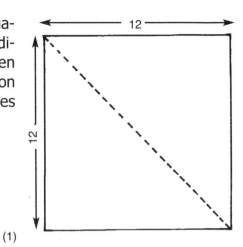

(1)

(2)

2. Dobla ahora hacia atrás de A a B; y hacia arriba de C a B también.

(2)

C

A

B

C

Tu cuadrado de papel te quedará conforme lo ves en el dibujo (3).

(3)

3. Toma ahora la caña, o la pajita de plástico de 25 cms., y le haces un corte de unos 3 cms., ayudándote de unas tijeras, o una cuchilla. (4)

CORTE

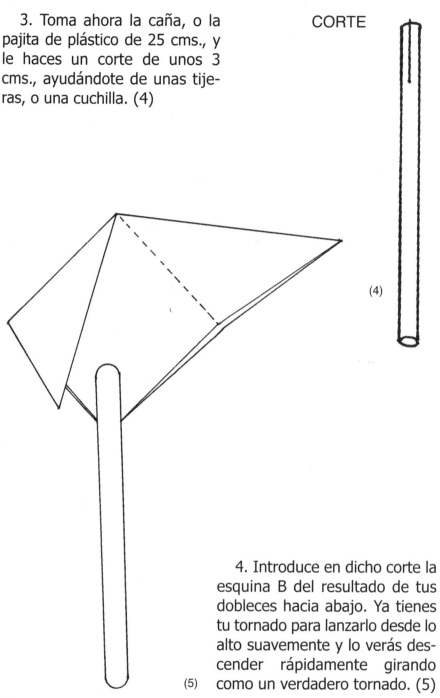

(4)

(5)

4. Introduce en dicho corte la esquina B del resultado de tus dobleces hacia abajo. Ya tienes tu tornado para lanzarlo desde lo alto suavemente y lo verás descender rápidamente girando como un verdadero tornado. (5)

VASO DE PAPEL

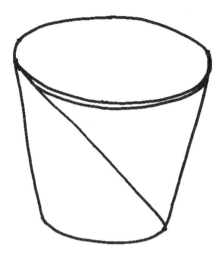

Con un cuadrado de papel de 21 x 21 puedes realizar este fácil trabajo. (1)

1. Dobla en diagonal el cuadrado, línea discontinua. Dibujo (2)

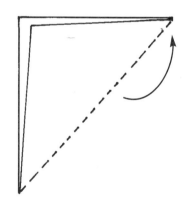

(2)

2. Dobla ahora de derecha a izquierda por delante dibujo (3) línea discontinua.

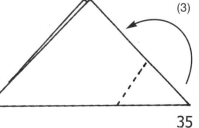

(3)

35

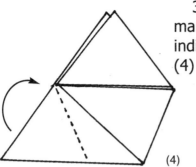

3. Efectúa ahora el doblez de tu mano izquierda para atrás según indica la flecha, línea discontinua. (4)

(4)

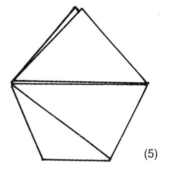

(5)

Tus dobleces quedarán conforme ves en el dibujo (5), con un lateral del triángulo por cada cara.

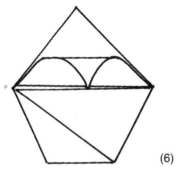

(6)

4. Los puntos de arriba los introduces cada uno en su cara correspondiente dibujo (6); formando así tu vaso.

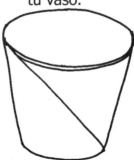

GORRO TURCO

Si con un cuadrado de papel de 21 x 21 se hace un vaso de papel; el gorro turco o fe, como se le llama también se hace con un cuadrado, pero bastante más grande para poderlo introducir en la cabeza.

Se realiza exactamente igual que el vaso de papel, siguiendo los mismos pasos. Luego la borla se le hace con un poco de lana anudada y recortada, pegada en el gorro y a jugar con él.

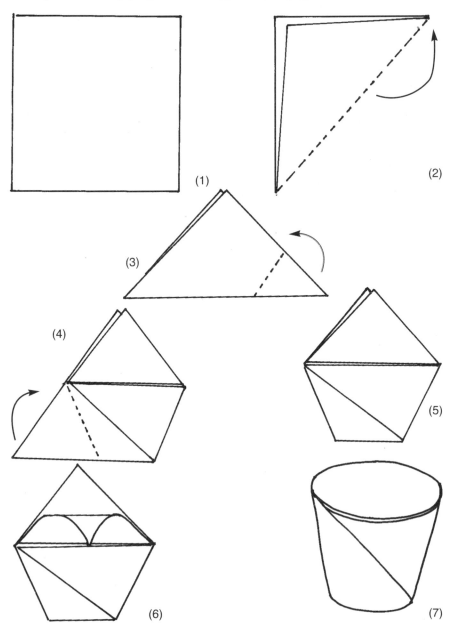

(1)

(2)

(3)

(4)

(5)

(6)

(7)

CASITA DE PAPEL

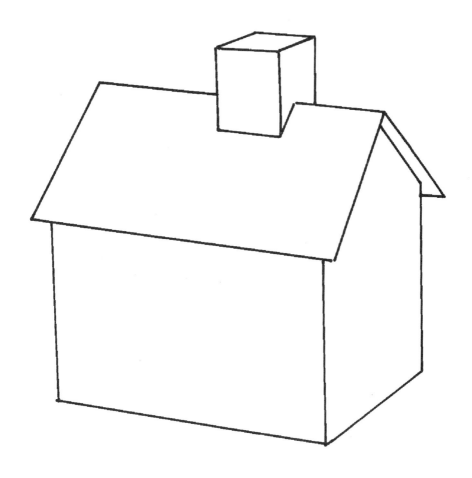

Hazte con dos folio de papel, y un trozo de cartulina donde pegar la casa y sigue las instrucciones que te damos para construir tu casita de papel, y luego pintarla a tu gusto.

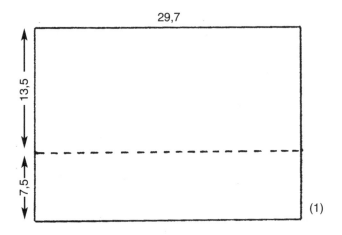

29,7

13,5

7,5

(1)

1. Al primer folio en horizontal puesto, córtale por abajo 7,5cms.; dejándolo en 13,5 x 29,7 cms. dibujo (1).

Seguidamente con la ayuda de una regla de plástico, una escuadra y un cartabón, dibuja las líneas de punto que ves en el dibujo siguiente partiendo de A, hacia B y luego de C a D. (2)

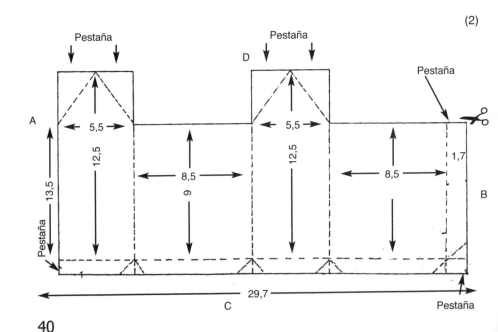

(2)

Pestaña

Pestaña

Pestaña

D

A

5,5

5,5

12,5

12,5

8,5

8,5

9

13,5

1,7

B

Pestaña

29,7

C

Pestaña

40

Así partiendo del borde del primer folio cortado a 13,5x29,7 dibuja a 5,5 cms. la primera línea vertical; desde la primera 8,5 cms. a la segunda; otra vez 5,5 a la tercera; 8,5 también a la cuarta; quedándote en el borde B 1,7 mm. de pestaña. Las líneas se te muestran discontinuas porque son para doblar, tú las tiras como quieras.

Ahora desde el punto C, dibuja 1 cm., que es para pestaña; quedándote desde ahí al borde D 12,5 cms. desde la primera a la segunda línea, tira de C a D, 9 cm. y de la tercera y cuarta también cortando lo que sobra arriba; corta también a pie al final de cada línea en la pestaña para que no te molesten los dobleces.

Dobla todas las líneas para dentro que no se vean por fuera y pega con un poco de cola la pestaña B, debajo de A. Dobla también la pestaña de arriba para pegar el techo.

(3)

Para el techo de la casita corta del segundo folio un cuadrado de 12 x 12, lo doblas al centro y pegas con un poco de cola en las dos pestañas de arriba, dibujo (3).

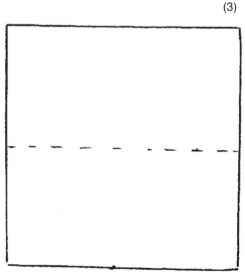

41

Para la chimenea corta una tira de 4x9, divide de dos en dos centímetros para doblar y un centímetro al final para pestaña corta también las lengüetas para pegar, ver dibujo (4).

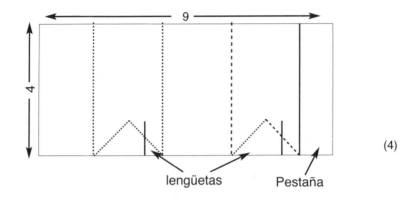

(4)

lengüetas   Pestaña

Con todo esto tienes tu casita terminada, como te dijimos, las ventanas y las puertas corren de tu cuenta.

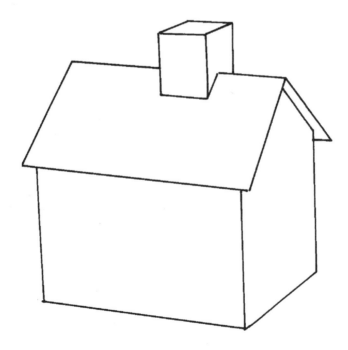

GOLONDRINA DE PAPEL

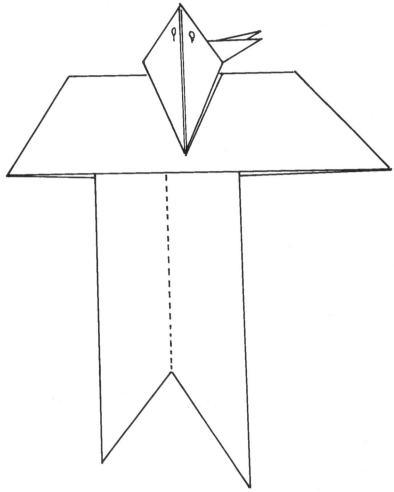

La golondrina de papel es otra figura que se realiza con mucha facilidad, solo necesitas un folio de papel y convertir en un cuadrado por un lado donde trabajar la cabeza y las alas y la tira restante para el cuerpo y la cola. Recuadrar un folio, ya lo sabes, anteriormente ya lo hemos explicado sabes que sólo tienes que tomar el borde una esquina y alinear al borde del lateral opuesto, lo que sobresale del triángulo que se forma es lo que tienes que cortar para el cuerpo, abre el triángulo y tendrás el cuadrado.

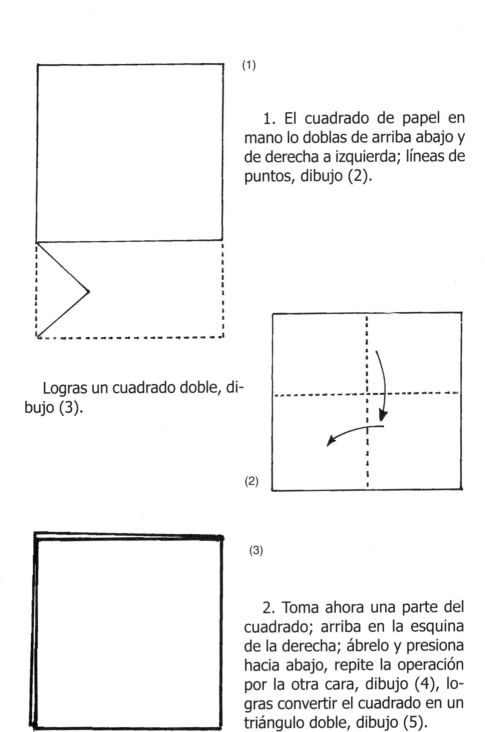

(1)

1. El cuadrado de papel en mano lo doblas de arriba abajo y de derecha a izquierda; líneas de puntos, dibujo (2).

Logras un cuadrado doble, dibujo (3).

(2)

(3)

2. Toma ahora una parte del cuadrado; arriba en la esquina de la derecha; ábrelo y presiona hacia abajo, repite la operación por la otra cara, dibujo (4), logras convertir el cuadrado en un triángulo doble, dibujo (5).

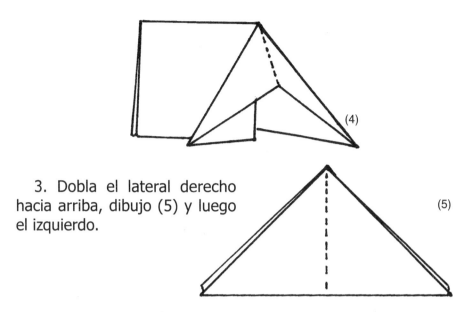

(4)

3. Dobla el lateral derecho hacia arriba, dibujo (5) y luego el izquierdo.

(5)

Tu trabajo llevará la forma que puedes ir viendo en el dibujo (6).

(6)

4. Toma ahora uno de los puntos A o B, lo doblas una vez hacia arriba y otra hacia abajo, luego el otro punto, conforme puedes observar en el dibujo (7).

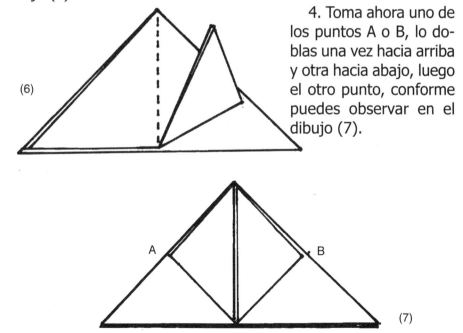

A   B

(7)

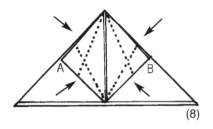

(8)

5. Una vez conseguido fijar los dobleces A y B toma ambos puntos, presiónalos hacia el centro y la punta la elevas hacia arriba, dibujo (9); luego dobla hacia atrás por la línea de puntos. Tu figura tomará la forma que ves en la dibujo (10); voltea la figura, presiona el centro y saca las patas, dibujo (11)

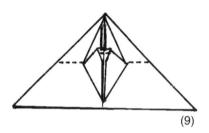

(9)

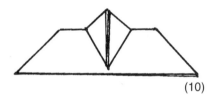

(10)

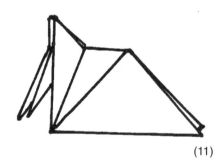

(11)

6. Toma ahora la tira que cortaste del folio, la doblas al centro horizontal, línea de puntos, dibujo (12), corta un triángulo en una orilla para la cola, y colocas el cuerpo entre las alas. Tu golondrina de papel queda lista ya.

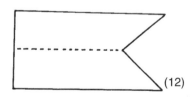

(12)

BURRO Y CARRO

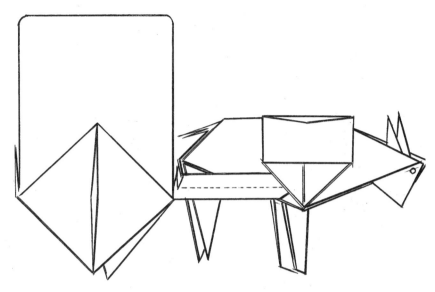

Dos cuadrados de papel necesitas para rehalizar este interesante trabajo, un cuadrado de 21 x 21 para el burro y otro de 20 x 20 para el carro.

(1)

1. El cuadrado del burro doblalo en primer lugar de arriba hacia abajo y de derecha a izquierda como ves en el dibujo 1.

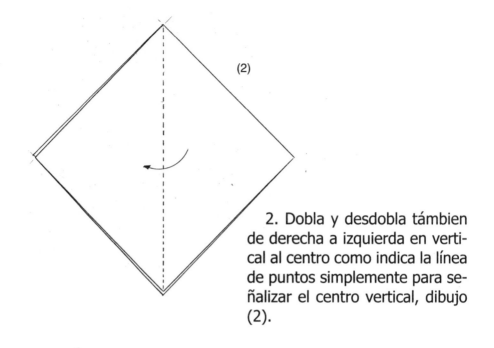

(2)

2. Dobla y desdobla támbien de derecha a izquierda en vertical al centro como indica la línea de puntos simplemente para señalizar el centro vertical, dibujo (2).

3. Dobla y desdobla A hacia el centro vertical que has señalado anteriormente, abre el doblez del centro vertical e introduce el doblez A hacia adentro, dibujo (3).

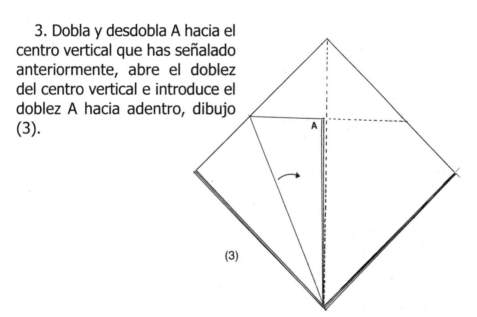

A

(3)

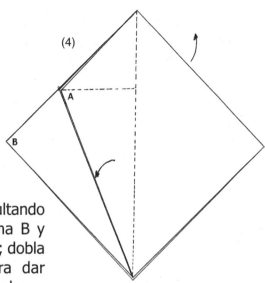

(4)

4. Desdobla y dobla ocultando ahora A quedando encima B y repite la misma operación; dobla B al centro vertical para dar forma e introduces B igual que hicistes con A.

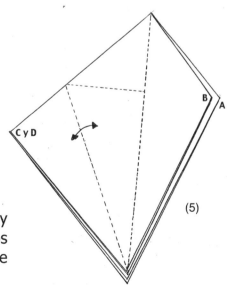

(5)

5. C y D, tienes que doblar y desdoblar en ambos sentidos para obtener un pliegue que te facilite dejar igual que A y B.

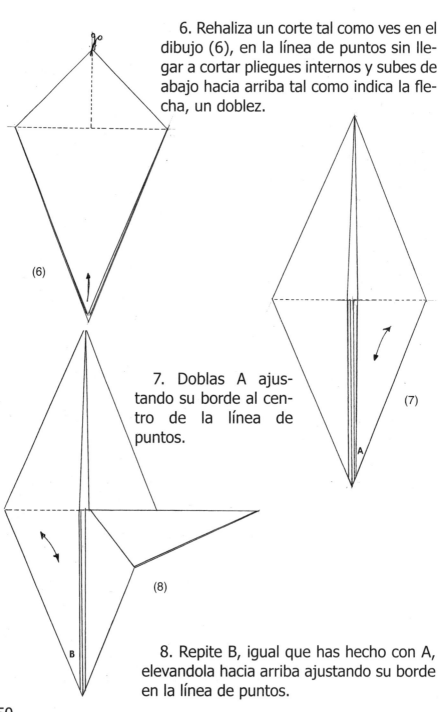

6. Rehaliza un corte tal como ves en el dibujo (6), en la línea de puntos sin llegar a cortar pliegues internos y subes de abajo hacia arriba tal como indica la flecha, un doblez.

(6)

7. Doblas A ajustando su borde al centro de la línea de puntos.

(7)

(8)

8. Repite B, igual que has hecho con A, elevandola hacia arriba ajustando su borde en la línea de puntos.

50

9. Doblas y desdobla A y B por la línea de puntos como ves en el dibujo (9), este doblez te facilita el doblar en el siguiente paso hacía abajo A y B.

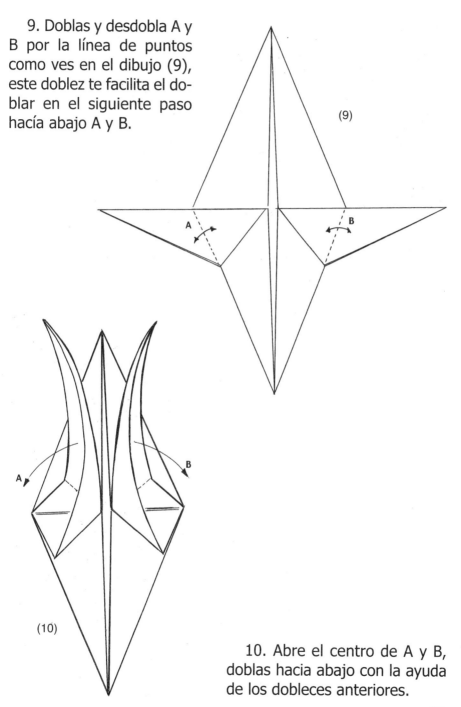

(9)

(10)

10. Abre el centro de A y B, doblas hacia abajo con la ayuda de los dobleces anteriores.

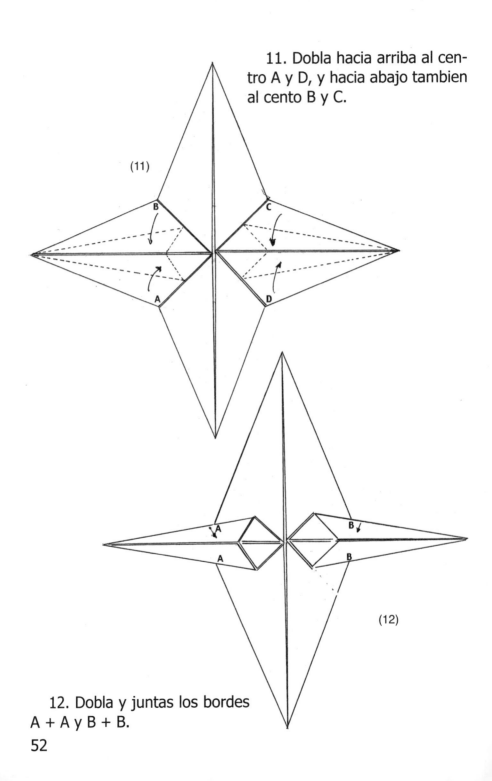

11. Dobla hacia arriba al centro A y D, y hacia abajo tambien al cento B y C.

(11)

12. Dobla y juntas los bordes A + A y B + B.

52

13. Dobla de derecha a izquierda tal como indica la flecha y sitúa ahora en horizontal tu trabajo.

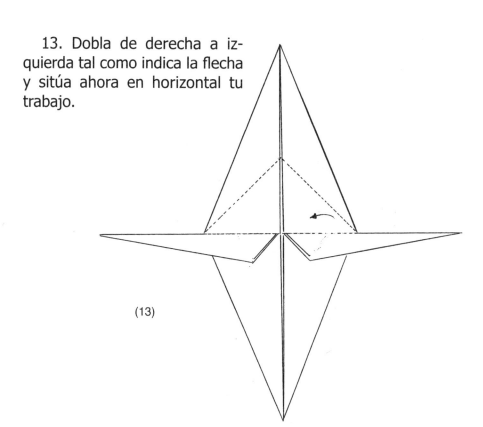

(13)

14. Si tu trabajo presenta este aspecto, va por buen camino, doblas de derecha a izquierda A y por detrás B, es la parte que cortastes en el dibujo (6) y serán las alforjas de tu burro.

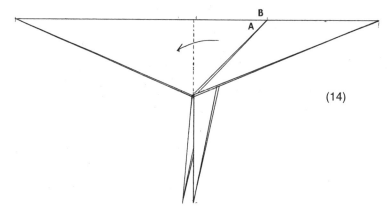

(14)

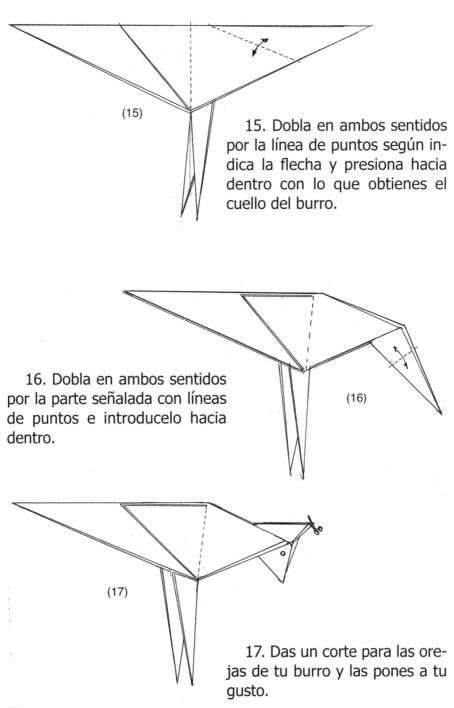

(15)

15. Dobla en ambos sentidos por la línea de puntos según indica la flecha y presiona hacia dentro con lo que obtienes el cuello del burro.

16. Dobla en ambos sentidos por la parte señalada con líneas de puntos e introducelo hacia dentro.

(16)

(17)

17. Das un corte para las orejas de tu burro y las pones a tu gusto.

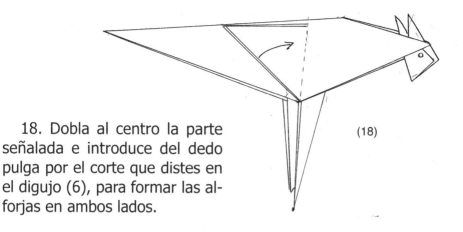

18. Dobla al centro la parte señalada e introduce del dedo pulga por el corte que distes en el digujo (6), para formar las alforjas en ambos lados.

(18)

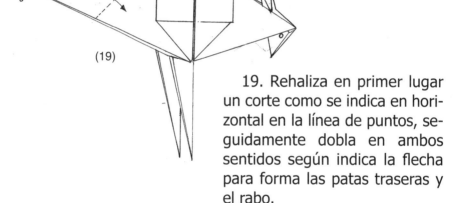

(19)

19. Rehaliza en primer lugar un corte como se indica en horizontal en la línea de puntos, seguidamente dobla en ambos sentidos según indica la flecha para forma las patas traseras y el rabo.

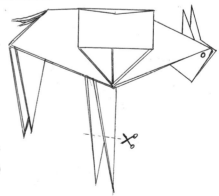

Cortar y dejar a la misma altura e insertar el carro al burro sujeto en las alforjas

55

CARRO

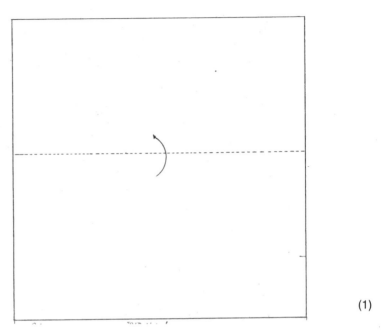

(1)

1. El cuadro de papel del caro es el de 20 cm. para rehalizar este trabajo que debes doblar de abajo arriba por el centro en líneas de puntos según indica la flecha.

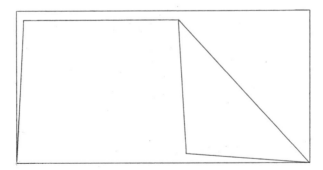

(2)

2. Doblas los cuatro ángulos hacia abajo, primero los de una cara y luego volteas los de la cara posterior según se representa en el dibujo (3).

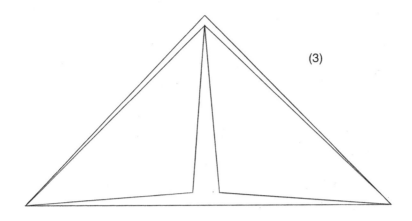

(3)

3. Desdobla tu cuadrado de papel según se muestra en el dibujo 4, con los ángulos ya doblados a tu cara y vuelves a doblar de abajo hacia arriba por el centro, línea de puntos.

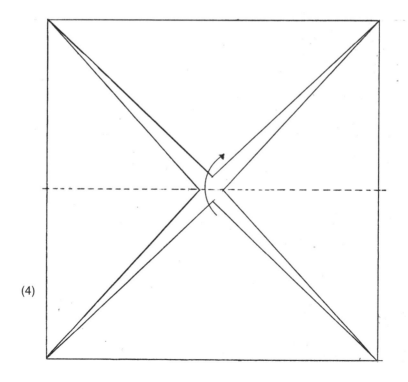

(4)

4. Repite los dobleces igual que hiciste la primera vez, primero una cara y luego la posterior; tal como ves en el dibujo (5).

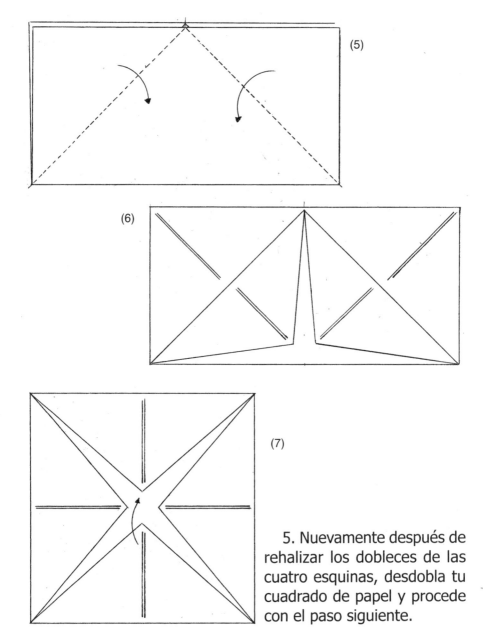

(5)

(6)

(7)

5. Nuevamente después de rehalizar los dobleces de las cuatro esquinas, desdobla tu cuadrado de papel y procede con el paso siguiente.

6. Dobla otra vez más por el centro de abajo hacía arriba tal como indica la flecha en el dibujo (7), siempre con los últimos dobleces hacia adentro y repite los dobleces de las cuatro esquinas primero delante y luego detras, dibujo (8).

(8)

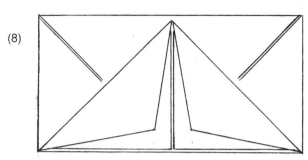

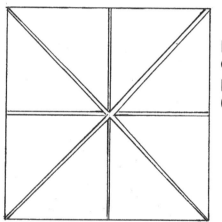

7. Si hasta aquí, tu primeros pasos están bien dado, el apecto que presenta tu cuadrado de papel, es el que ves en el dibujo (9).

(9)

8. Da la vuelta ahora a tu cuadrado de papel sitúandolo en vertical como ves en el dibujo (10), para seguir nuevos pasos. Tu papel presenta el aspecto del dibujo (10).

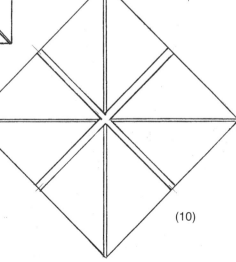

(10)

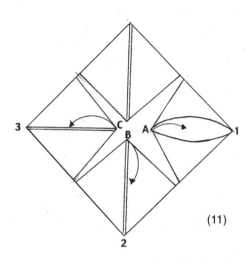

9. Señaladas con A, B y C estan las esquinas de los primeros dobleces que distes con 1, 2 y 3 las esquinas borde de nuestro cuadrado, tenemos que levantar y llevar primero A hacia 1. B hacia 2 y C hacia 3, dibujo (11).

(11)

10. Presiona A y B hacia abajo que son las ruedas del carro, y C hacia arriba, que es la parte trasera.

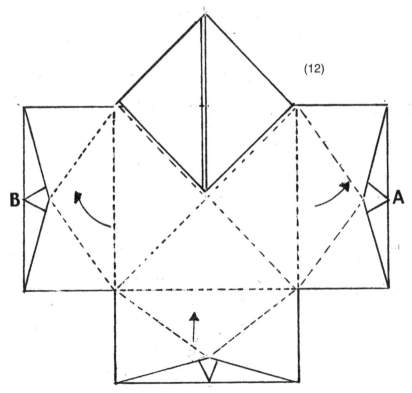

(12)

11. Presiona con los dedos los puntos A A y B B, con los que termina de formar las ruedas del carro.

(13)

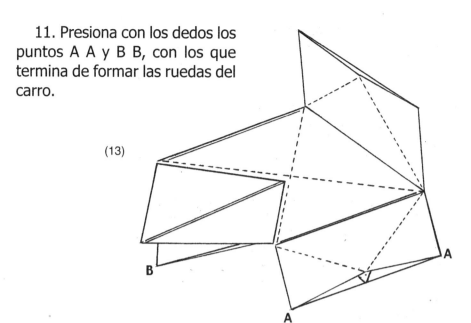

12. Prepara para la capota una tira de papel de la anchura de las ruedas y lo alto que quieras la preparas según el dibujo (14 A) y la colocamos entre las rudas por arriba que tiene su lugar A.

(14 A)

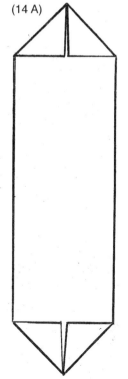

(14)

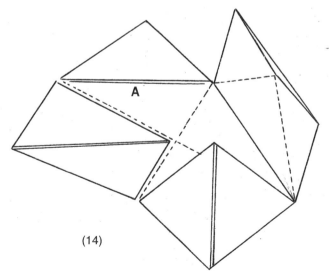

61

14. Sacas de debajo del carro todo el doblez de la parte delantera como ves en el dibujo (15) y corta como indica la línea de puntos fomando una 'T' hasta donde indica e introduimos A y B dentro.

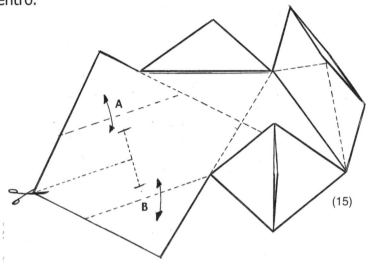

(15)

15. Dobla A y B según indica la flecha, pones la captota e inserta el carro en el burro concluyendo el trabajo.

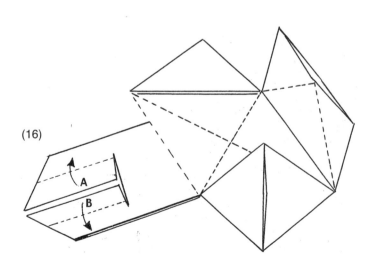

(16)

RUIDOSO DE PAPEL

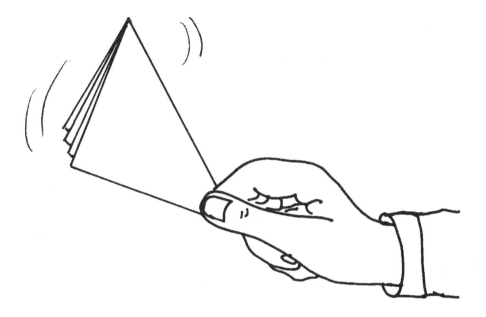

Con un folio de papel, o un papel rectangular puedes hacer este simpático ruidoso de papel.

1. Toma tu papel y dóblalo en cruz; línea discontinua dibujo (1), desdóblalo.

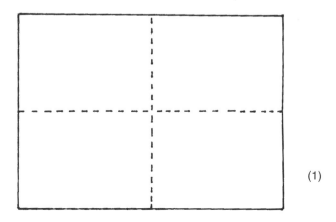

(1)

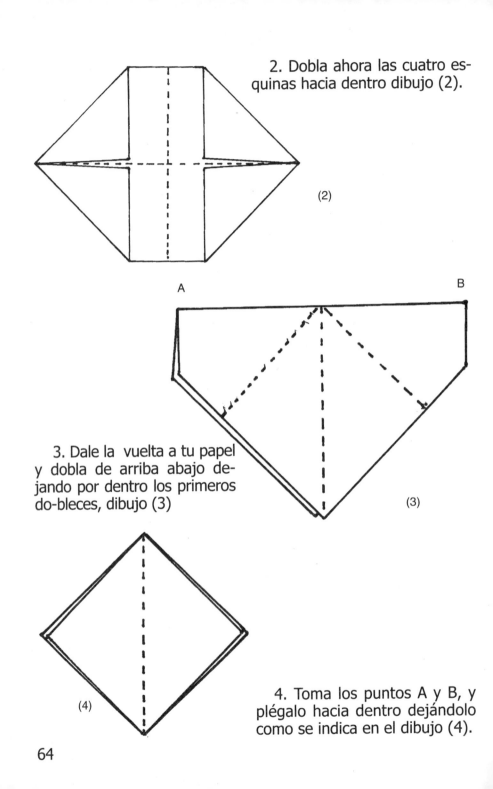

2. Dobla ahora las cuatro esquinas hacia dentro dibujo (2).

(2)

A

B

3. Dale la vuelta a tu papel y dobla de arriba abajo dejando por dentro los primeros do-bleces, dibujo (3)

(3)

(4)

4. Toma los puntos A y B, y plégalo hacia dentro dejándolo como se indica en el dibujo (4).

5. Dobla ahora de derecha a izquierda, te quedarán los dobleces como puedes ver en el dibujo (5).

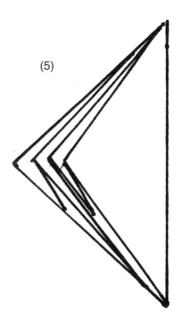

(5)

Ya tienes tu ruidoso de papel fabricado, toma ahora para hacerlo sonar, solo la punta del pliegue exterior y expúlsalo fuerte con tu mano; verás el sonido que emite el papel al desplegarse.

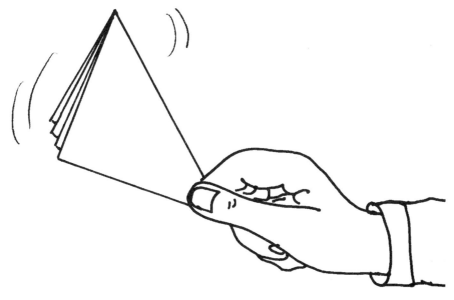

RANA SALTARINA

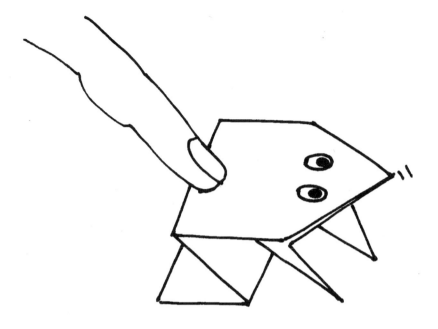

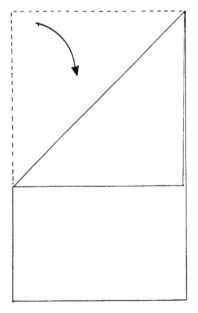

(1)

Trabajo que hay que hacerlo sobre un rectángulo de cartulina, para que tenga más fuerza que el papel. Una medida muy buena puede ser 8 x 13, aunque también puede hacerse con una tarjeta de visita.

1. Toma tu cartulina y dobla del lateral izquierdo hacia abajo dibujo (1) y luego el lateral derecho para señalar los pliegues. dibujo (2)

(2)

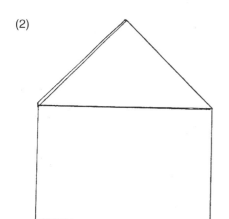

2. Desdóblalo, y dobla luego hacia atrás del centro de ambas diagonales, línea discontinua dibujo (3).

(3)

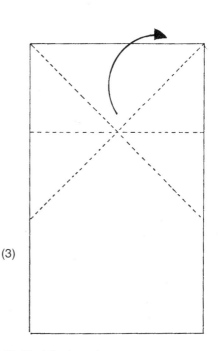

3. Dobla los dos extremos señalados con las flechas dibujo (4) y obten el resultado que ves en dibujo (5)

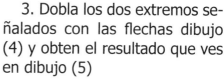

(4)

(5)

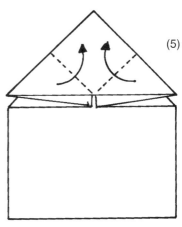

4. Pliega hacia arriba según indica lo señalado en línea discontinua dibujo (5) con lo que se obtiene lo que ves en dibujo (6).

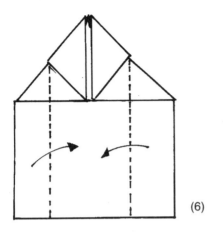

(6)

5. Dobla ahora conforme se indica con las flechas por las líneas discontinuas dibujo (6) hacia dentro para obtener dibujo (7); donde doblas nuevamente de abajo arriba por la línea discontinua dibujo (7); te dará el resultado que ves en dibujo (8)

6. Pliega hacia abajo por la línea discontinua dibujo (8); el resultado que te dará es el que ves en dibujo (9)

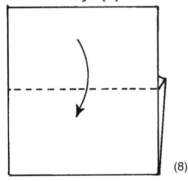

(8)

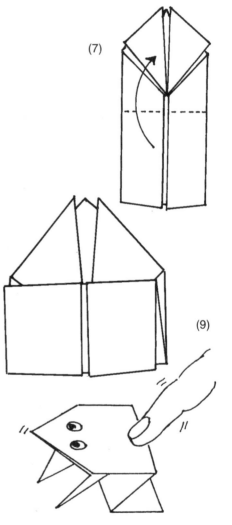

(7)

(9)

Sólo te queda voltear y sacar las patas, o ancas de tu ranita, pintar y jugar con ella; píntala y decórala a tu gusto. Al jugar con la rana para hacerla saltar, solo tienes que presionar un poco hacia bajo con el pulgar, y luego soltar rápidamente y verás que salto pega.

68

TORRE

Sigue las instrucciones si te gusta crearte tu propia torre de papel, para luego pintar a tu gusto.

69

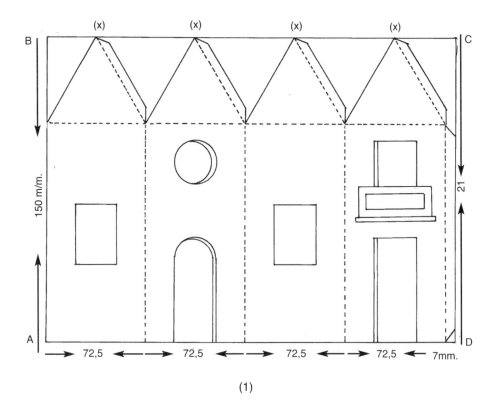

(1)

Partiremos de un folio de papel que como sabes sus medidas son 21x29.7cm.

Observa el dibujo y estúdialo detenidamente para realizar la torre sin ningún problema.

1. Sitúa tu folio en horizontal delante de ti, empieza por medir desde la parte A a B los 15 cm. y dibuja en línea discontinua, las cuales significan que es por donde doblarás un poco el papel para que coja forma.

2. Desde A a D divide 72,5mm. cuatro veces que te da un total de 290m/m, los siete restantes es pestaña para pegar.

3. Localiza los centros (x) arriba de las cuatro divisiones (x) hechas para tirar la diagonal de la cúspide de la torre. Señala la pestaña, todas a 7m/m recorta y pega y tendrás la torre. El completar el dibujo corre de tu cuenta.

70

RECORTABLE DON QUIJOTE

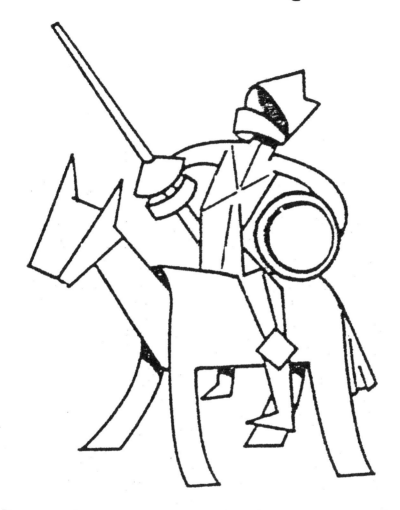

De nuevo te proponemos que sigas los pasos que te damos para que sepas crearte tu recortable Don Quijote sin ayuda de nadie.

Necesitas:
- Dos cartulinas tamaño folio; 21X29,7cm.
- Una pajita de tomar zumo
- Tijeras, pegamento, regla y bolígrafo.

Para el caballo
A/A = cabeza
B/B = orejas
C/C = cuello
D/D = patas delanteras
E/E = cuerpo
F/F = patas traseras
G/G = rabo

1. Toma tu folio de papel y divide el centro con líneas discontinuas en vertical 10,5 cm. para cada lado; y tira luego del borde

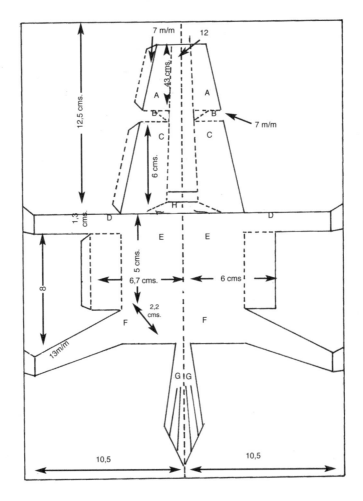

(1)

del folio parte de arriba hacia abajo 125 cm., llegando al comienzo de las patas delanteras.

2. Desde ahí parte hacia abajo dando 1,3 m/m. al grosor de las patas, D. Sigues en el punto E dando 5 cms. Continua 2,2 cms. al final de los cuartos traseros.

3. Sitúate de nuevo al final del punto D, y mide 8 cms. hasta las patas traseras, dándole también los 13 m/m, para el grosor de las patas traseras; tiras las diagonales de F.

4. Colócate ahora en el centro vertical E, mide hacia la derecha 6 cms. y hacia la izquierda 6,7 cms. los 7mm. es pestaña para pegar. Ya tienes el cuerpo y la parte trasera del caballo; sitúate ahora en el centro vertical D, hacia arriba para dibujar el cuello y la cabeza.

5. Desde D a C, mide 6 cms.; 7 mm. para B y 4,3 para A. En A en vertical mide 1cm. a la derecha y 1,7 a la izquierda; los 7 es pestaña. En el centro D mide 4cms. a la derecha, y 4,7 a la izquierda.

6. Une los laterales desde A a D, pasando por C; señalando la pestaña del lado izquierdo. Vuelve a D y crea el punto H de 5 cms. partiendo 2,5 para cada lado, 7+7, en C para pliegues; dibuja las líneas de pliegues a 6 mm. para cada lado en A y 10 mm. para cada lado en H.

Una vez realizadas estas operaciones puedes cortar y pegar el caballo y dedicarte a hacer el caballero.

En la segunda cartulina disponte a copiar al caballero; y la mejor forma es la que te mostramos en el dibujo de abajo, te haces en una cuadrícula a 1 cm. de tamaño 21 cuadros de ancho y 15 de alto, copias el dibujo, lo recortas y lo pegas.

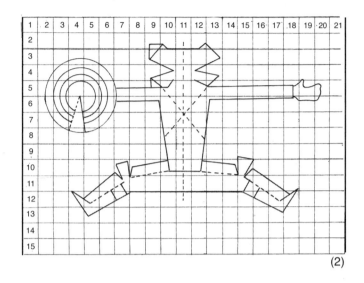

(2)

Para la lanza utiliza la pajita de zumo y recorta y pega dos veces el protegemanos.

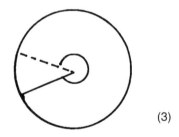

(3)

CERDITO DE PAPEL

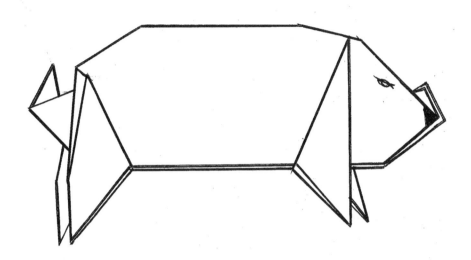

Un cuadrado de papel es lo que también necesitas para realizar este trabajo, la medida, la que a ti te guste, aunque puedes hacer varias medidas y creas así toda una familia de cerditos.

(1)

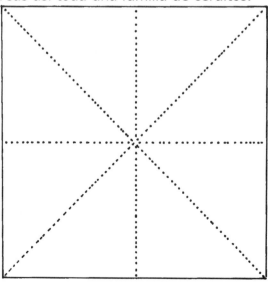

1. Creale a tu cuadrado de papel las marcas que se indica en líneas de puntos, dibujo (1). Lo haces doblando en horizontal, luego vertical; desdoblas y luego en diagonal de un lado y otro, desdóblalo.

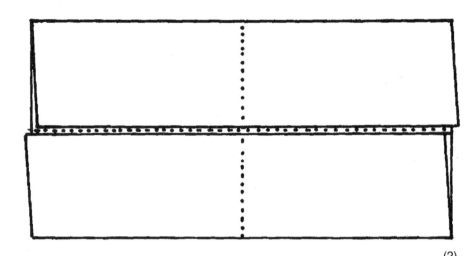

(2)

2. Dobla ahora hacia el centro horizontal la parte de arriba y la de abajo, logrando así, el resultado que ves en el dibujo (2).

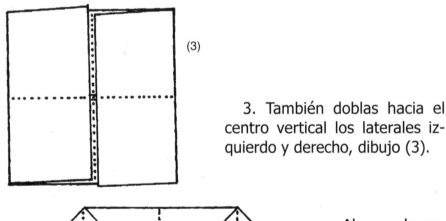

(3)

3. También doblas hacia el centro vertical los laterales izquierdo y derecho, dibujo (3).

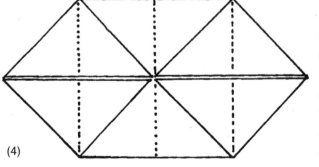

Abre cada esquina del nuevo cuadrado que tienes y presiona arriba; el resultado que obtendrás es el del dibujo (4).

(4)

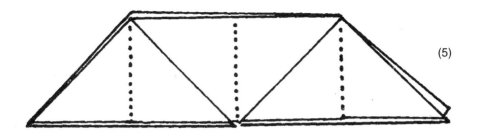

(5)

4. Dobla hacia atrás del centro horizontal y volteas tu figura, a de quedarte como ves en el dibujo (5).

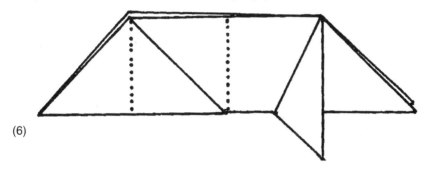

(6)

5. El dibujo (6) te muestra el siguiente paso, toma la punta del centro de cada lado y dóblala cada uno a su lugar correspondiente en línea con el pliegue fijado en línea de puntos, con ello construye las patas del cerdito.

Tu cerdito está acabado, sólo te queda hacer la serie de dobleces como se te marca en el dibujo (7), y mételo para dentro con lo que haces el rabo en la parte izquierda, y las orejas y el morro en la parte derecha.

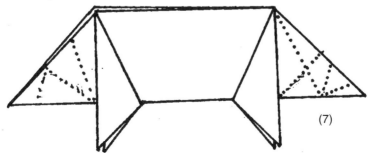

(7)

DRAGÓN

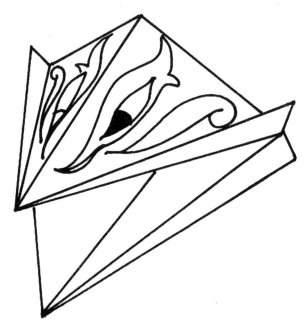

Para realizar este bonito trabajo necesias un rectángulo de 15 x 21 cm, para la cabeza del dragón. Y un cuadrado de 21 x 21 cm., para el cuerpo.

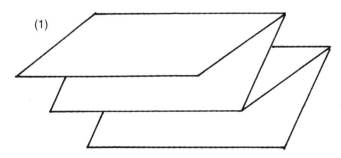

(1)

1. Dobla tu papel en forma de acordeón, primero al centro y luego cada parte también al centro quedándote cuatro divisiones conforme puedes apreciar en el dibujo (1)

78

Sitúa tu papel como puedes observar en el dibujo (2); tres de los dobleces en tu lado derecho, y uno en el izquierdo y de esa forma trabaja tu cabeza

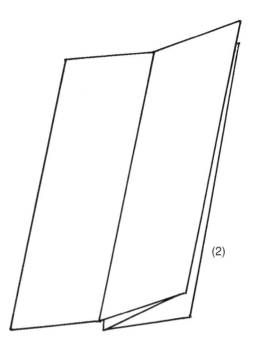

(2)

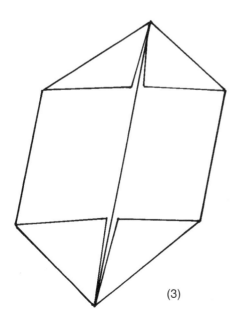

(3)

3. Dobla las cuatro esquinas hacia dentro como ves en el dibujo (3), montando luego el lateral izquierdo sobre el derecho.

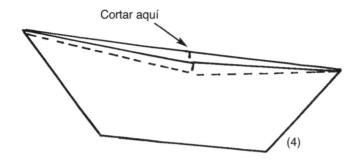

Cortar aquí

(4)

4. Tu papel quedará así; realiza entonces un pequeño corte al centro de unos 1,3 mm. y plégalo hacia atrás por la línea de puntos y dóblalo de arriba abajo, píntala y decórala a tu gusto.

5. Terminada tu cabeza de dragón, preparate ahora para lo más difícil, el cuerpo para ello dispón de tu cuadrado de papel de 21 x 21 cm., como te dijimos y doblalo y desdoblalo en diagonal A, B, C y D tal como ves en (5), para señalar pliegues.

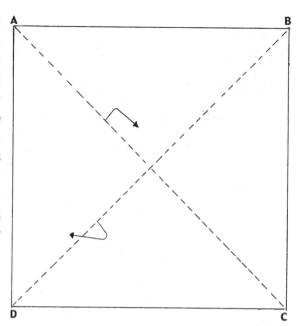

(5)

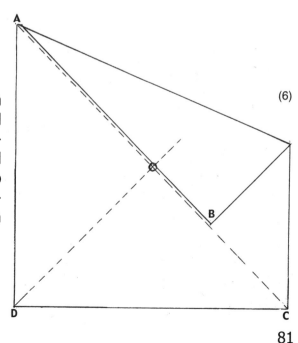

(6)

6. Toma ahora la esquina B y llevala al centro diagonal presionando bien, tal como ves en el dibujo (6), desdoblalo y repite la operación con C, D y por último A.

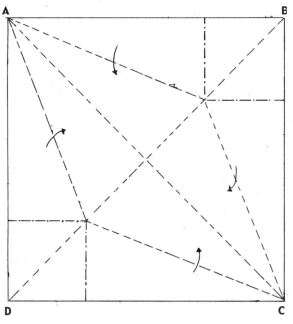

7. Tu cuadrado de papel tiene señalada los dobleces que ves en el dibujo (7), si no es así averigua si te falta alguno.

(7)

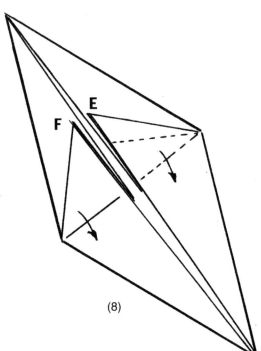

(8)

8. toma ahora en tus manos los puntos B y D y llevalos al centro vertical tal como ves en el dibujo (8), que doblas hacia arriba y abajo y luego llevas E al centro y lo mismo haces con F.

9. Desdobla y presiona primero un lateral creando los puntos A y B, tal como ves en el dbujo (9), lleva seguidamente A hacia B presionando bien.

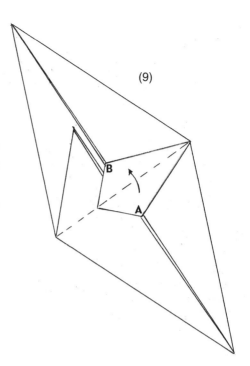

(9)

10. Toma el borde de papel de ese lateral y llevalo hacia la esquina tal como ves en el dibujo (10).

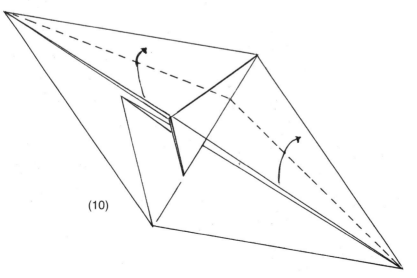

(10)

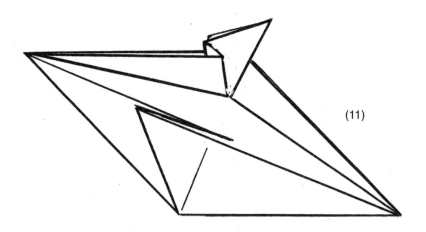

11. Terminado el lateral derecho tienes creada una de las patas del dragón, repite la misma operación el el lateral izquierdo para obtener la otra, ver dibujo (11)

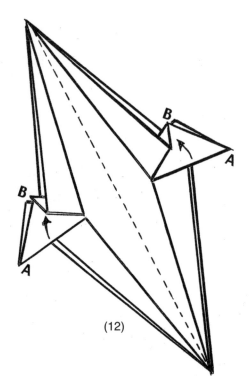

(12)

12. Con los dos laterales finalizado, el cuerpo de tu dragón presenta el aspecto que ves en el dibujo (12) introduce ahora la línea A dentro de B, y doblas hacia adentro toda la figura.

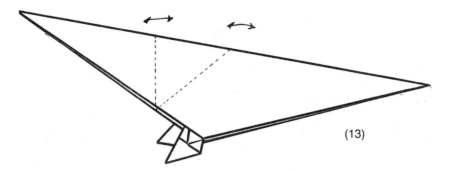

(13)

13. El cuerpo de tu dragón va tomando esta forma, las líneas de puntos te señala que tienes que doblar de un lado a otro presionando bien, para poder seguir con tu trabajo, sigue los ejemplos A, B y C.

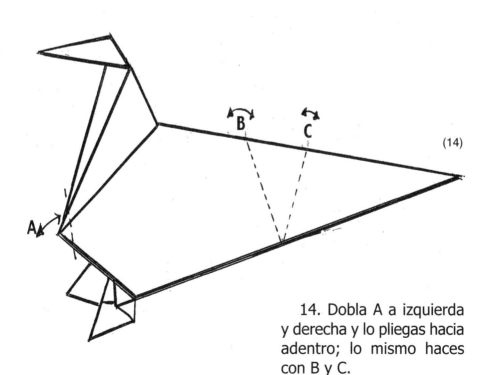

(14)

14. Dobla A a izquierda y derecha y lo pliegas hacia adentro; lo mismo haces con B y C.

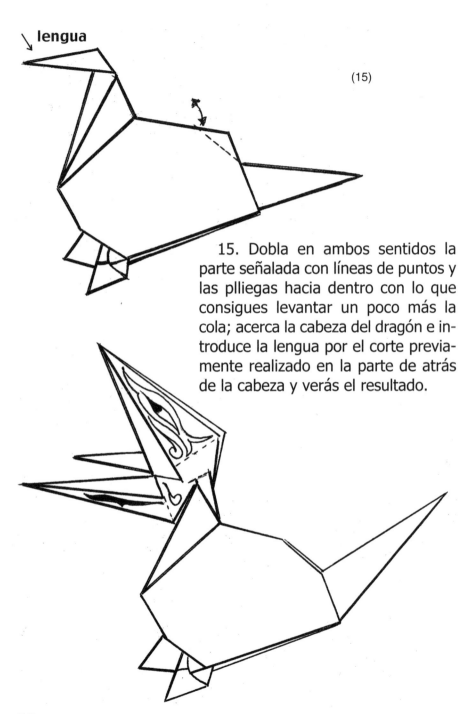

lengua

(15)

15. Dobla en ambos sentidos la parte señalada con líneas de puntos y las plliegas hacia dentro con lo que consigues levantar un poco más la cola; acerca la cabeza del dragón e introduce la lengua por el corte previamente realizado en la parte de atrás de la cabeza y verás el resultado.

GORRO VIKINGO

Para realiza reste bonito trabajo, también se necesita un cuadrado de papel grande; podría valer dos hojas de un periódico recuadrándola si no tienes otra cosa a mano; aunque lo más bonito es, que utilices un cuadrado de papel con un color por una cara, y blanco por la otra; así el trabajo sale aún más agradable. Sigue los pasos que a continuación te damos.

1. Sitúa tu cuadrado de papel conforme se te muestra en el dibujo (1), y al centro línea de puntos, dobla hacia arriba de A a B.

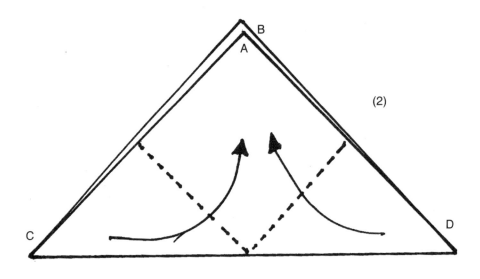

(2)

2. Seguidamente, el dibujo (2) te muestra el siguiente paso; tienes que doblar las esquinas E y D, también hacia A y B por la línea de puntos.

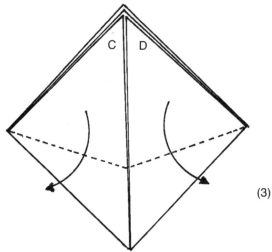

(3)

3. Después de fijar bien los dobleces de C y D; toma esos mismos puntos y dóblalos hacia abajo como se indica en la línea de puntos; partiendo del centro horizontal en las esquinas; inclinándose un poco hacia abajo conforme puedes ver en el dibujo (3)

88

4. La línea de puntos te indica el siguiente doblez en el dibujo 4; haciéndolo a 4 cms. desde la esquina hacia dentro y hasta el final de los puntos C y D.

(4)

5. Dobla ahora el punto A hacia delante y el punto B hacia atrás a la altura que indica la línea de puntos; asegura bien todos los dobleces, y ya tienes tu gorro vikingo, decóralo a tu gusto.

(5)

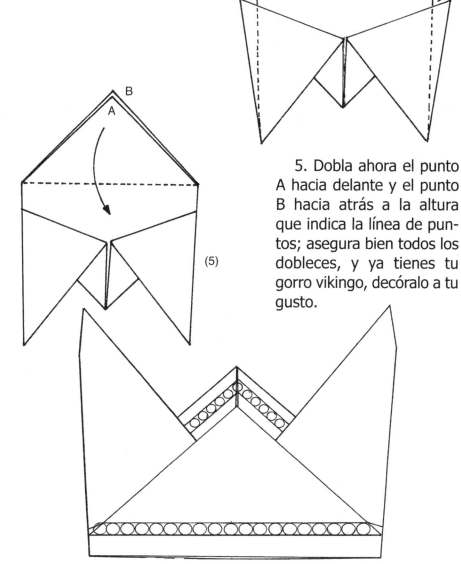

89

PAPAGAYO DE PAPEL

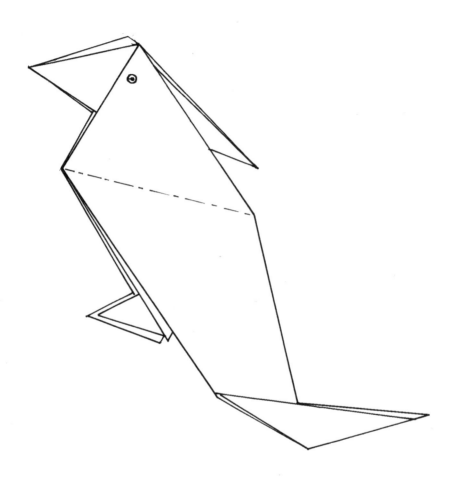

El papagayo de papel también es una figura que se realiza con un cuadrado de papel la medida más idónea es la de 15 X 15, aunque como siempre cada uno se lo puede hacer a la medida que más le gusta. Toma tu cuadrado de papel y sigue a las figuras siguientes para su realización.

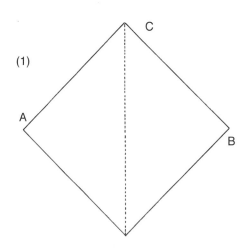

(1)

1. Tu cuadrado puesto en la posición que te indica el dibujo (1), dobla en primer lugar como te indicamos en la línea de puntos, desdóblalo, y acerca luego al doblez los puntos A y B.

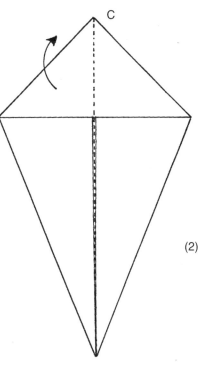

(2)

2. Dobla el punto C, hacia atrás conforme indica la flecha.

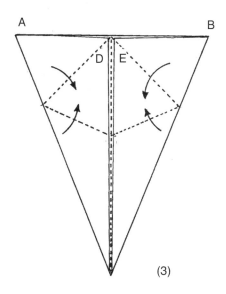

(3)

3. Tienes que doblar los puntos A y B hacia abajo y arriba como indican las flechas y la pirámide de puntos; desdóblalo, presiona luego A y B hacia abajo y saca hacia fuera D y E, para dejar tu papagayo como el dibujo (4).

91

(4)

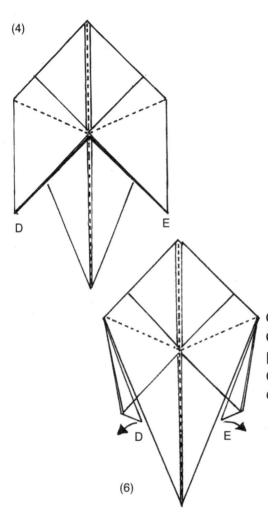

D   E

(5)

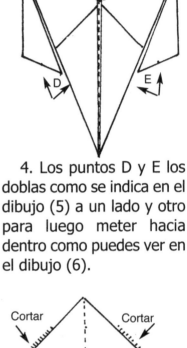

D   E

4. Los puntos D y E los doblas como se indica en el dibujo (5) a un lado y otro para luego meter hacia dentro como puedes ver en el dibujo (6).

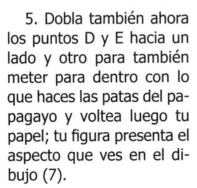

D   E

(6)

5. Dobla también ahora los puntos D y E hacia un lado y otro para también meter para dentro con lo que haces las patas del papagayo y voltea luego tu papel; tu figura presenta el aspecto que ves en el dibujo (7).

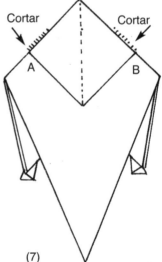

Cortar   Cortar

A   B

(7)

92

6. Corta el primer papel doble a la distancia que se indica para subir al centro. Los nuevos puntos A y B, como te indica el dibujo (7), tu trabajo presentará el aspecto del dibujo (8).

(8)

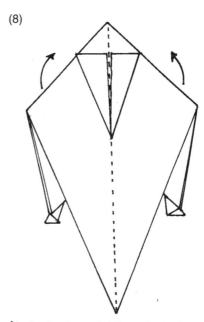

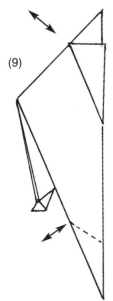

(9)

7. Este paso sólo te indica doblar al centro vertical, línea de puntos hacia atrás, dibujo (9).

8. Dobla ahora conforme indica la flecha; arriba a izquierda y derecha, meter para dentro y una vez metido jala un poco de cresta hacia arriba; abajo también doblar a un lado y otro, meter también para dentro y ya tienes tu papagayo acabado.

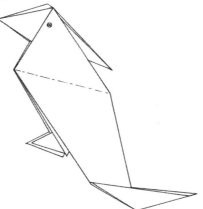

AVIÓN SUPERSONICO

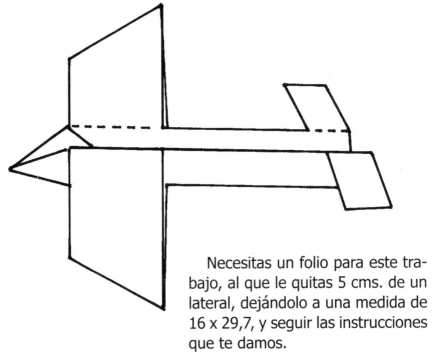

Necesitas un folio para este trabajo, al que le quitas 5 cms. de un lateral, dejándolo a una medida de 16 x 29,7, y seguir las instrucciones que te damos.

(1)

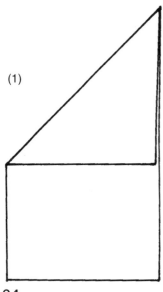

1. Logrado tu papel, empieza por doblar arriba conforme te mostramos en el dibujo (1) y (2); confirma bien los dobleces y desdóblalo y haz un tercer doblez al centro; donde se encuentran las 2 diagonales. Confirma el

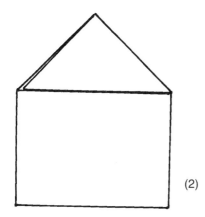

(2)

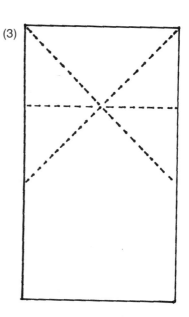

(3)

doblez y desdóblalo. El dibujo (3) te muestra en líneas de puntos cómo tiene que ir tu papel hasta este momento.

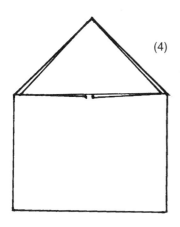

(4)

2. Dobla ahora hacia el centro los laterales de tu papel dejándolo conforme te muestra el dibujo (4).

3. Toma ahora las dos esquinas y dóblalo hacia arriba dejando tal como ves en el dibujo (5).

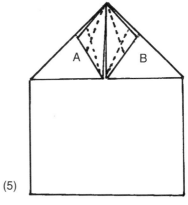

(5)

A   B

95

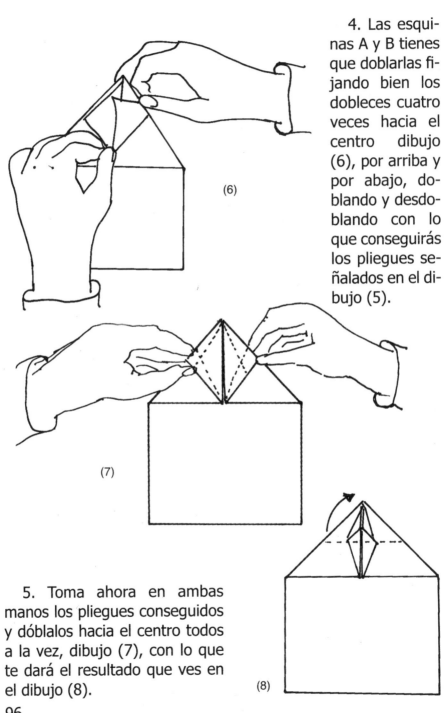

4. Las esquinas A y B tienes que doblarlas fijando bien los dobleces cuatro veces hacia el centro dibujo (6), por arriba y por abajo, doblando y desdoblando con lo que conseguirás los pliegues señalados en el dibujo (5).

(6)

(7)

5. Toma ahora en ambas manos los pliegues conseguidos y dóblalos hacia el centro todos a la vez, dibujo (7), con lo que te dará el resultado que ves en el dibujo (8).

(8)

96

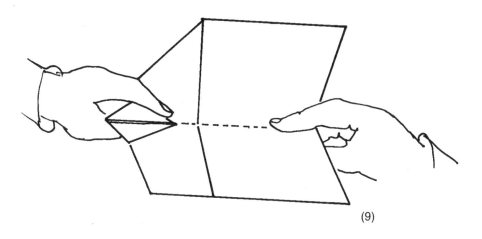

(9)

6. Dobla hacia atrás por la línea de puntos dibujo (8), dobla el centro (9) y recorta y decora tu supersónico a tu gusto.

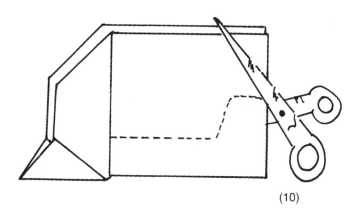

(10)

CADENETA PARA FIESTAS

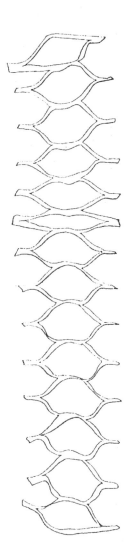
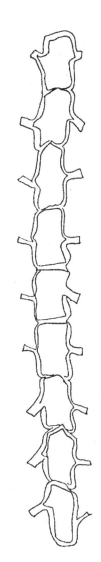

Es muy posible que todavía hoy en día quienes se dispongan a hacer una gran fiesta infantil, se les ocurra la idea de colgar cadeneta de papel; por eso vamos a daros una forma más facil y rápida de crear grandes cantidades de ellas en poquísimo tiempo.

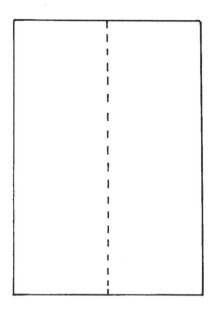

(1)

1. Partamos de un folio de papel que plegaremos al centro en vertical, dibujo (1)

2. Después señalamos una serie de cortes que daremos como a 1,5 cm. de separación uno de otro en horizontal; dejando 2,5 cms. sin llegar al final, tanto del lado izquierdo como del derecho.

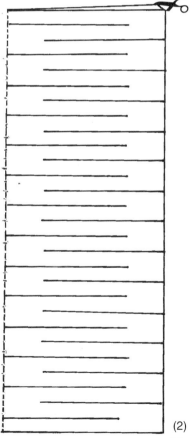

(2)

Terminados los cortes tiramos de ambos extremos del folio, y obtendremos las hermosas cadenetas para fiestas.

PATO DE PAPEL

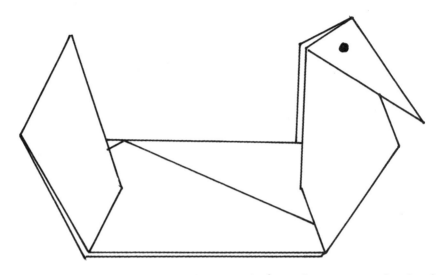

Bonito trabajo que se raliza también sobre un cuadrado de papel a la medida que cada uno quiera; aunque una medida muy cómoda, es la de 15x15.

Hazte con tu cuadro de papel y sigue las instrucciones que te damos.

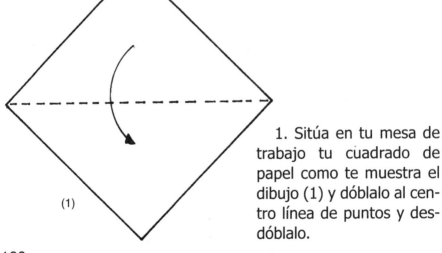

(1)

1. Sitúa en tu mesa de trabajo tu cuadrado de papel como te muestra el dibujo (1) y dóblalo al centro línea de puntos y desdóblalo.

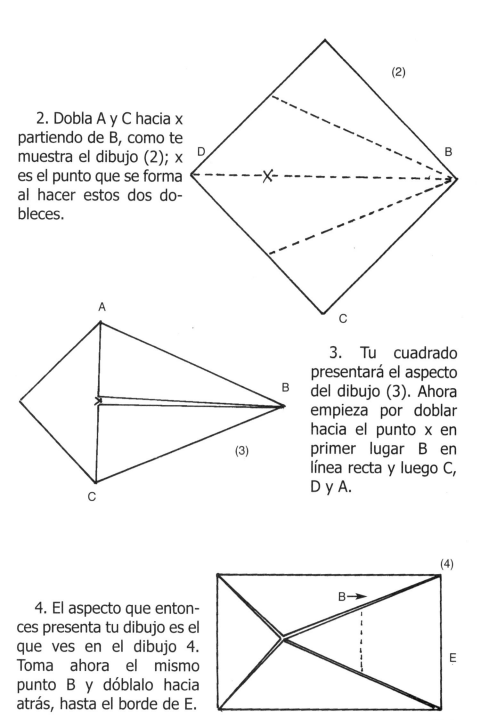

2. Dobla A y C hacia x partiendo de B, como te muestra el dibujo (2); x es el punto que se forma al hacer estos dos dobleces.

(2)

D

B

x

C

A

B

(3)

C

3. Tu cuadrado presentará el aspecto del dibujo (3). Ahora empieza por doblar hacia el punto x en primer lugar B en línea recta y luego C, D y A.

(4)

B→

E

4. El aspecto que entonces presenta tu dibujo es el que ves en el dibujo 4. Toma ahora el mismo punto B y dóblalo hacia atrás, hasta el borde de E.

101

(5)

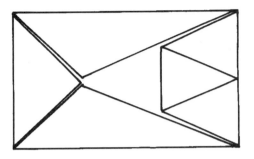

Tu cuadro presenta ahora lo que estás viendo el dibujo 5.

(6)

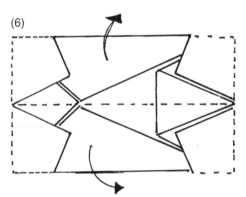

5. Como último paso dobla las cuatro esquinas tomando como base la línea de lo que es la cabeza del pato. Estos dobleces son para mantener erguida tanto la cabeza como la cola.

6. Doblar por el pliegue central hacia derecha e izquierda dibujo (6), luego mantener el cuerpo del pato con la mano izquierda y tirar de la cabeza y cola con la derecha, y, ya tienes el pato hecho.

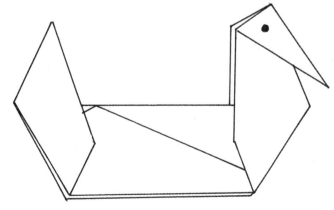

GORRO DE ROBIN DE LOS BOSQUES

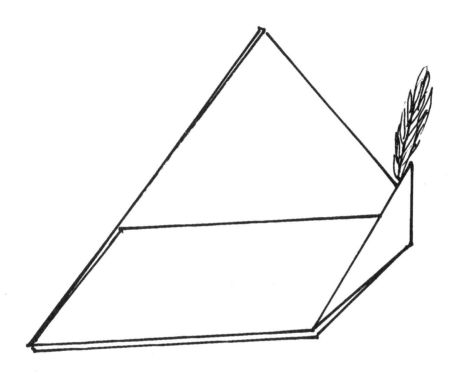

Otro bonito ejemplar de gorro de papel es este, de fácil realización y que sirve para fiestas de disfraces

Debes hacerlo en un rectángulo de papel grande, que bien podría ser para guiarte usando dos hojas de un periódico con ellos puedes llevar a cabo este trabajo y disfrutar creándolo:

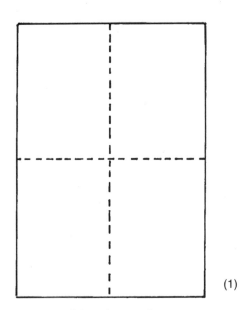

1. Una vez logrado tu rectángulo de papel, sitúalo en vertical, como puedes apreciar en el dibujo (1), doblándolo al centro, tanto horizontal como verticalmente para marcar los centros, (líneas de puntos), desdóblalo.

(1)

2. Dobla ahora de arriba abajo tu papel rectangular, dibujo (2) y dobla también A, hacia la derecha al centro y B, hacia la izquierda también al centro.

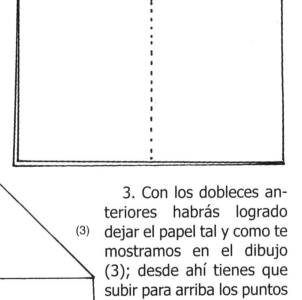

A   B

(2)

(3)

C   D

3. Con los dobleces anteriores habrás logrado dejar el papel tal y como te mostramos en el dibujo (3); desde ahí tienes que subir para arriba los puntos C y D, cada uno por su cara correspondiente.

4. Introduce la mano izquierda en E y la derecha en F uniendo los dos puntos, dibujo (4).

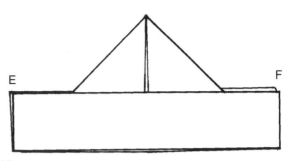

(4)

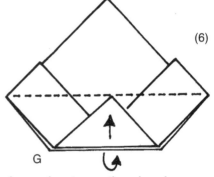

(5)

Después el punto G dóblalo para arriba primero una cara y luego la otra, dibujo (5).

(6)

6. Vuelves a doblar hacia arriba el mismo punto G, dibujo (6) y logra lo que ves en el dibujo (7).

G

Luego dobla una esquina para plegar hacia arriba donde pondrás el adorno y ya tienes tu gorro de Robin de los bosques para jugar con él, dibujo (7).

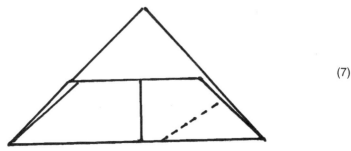

(7)

MOLINETE DE PAPEL

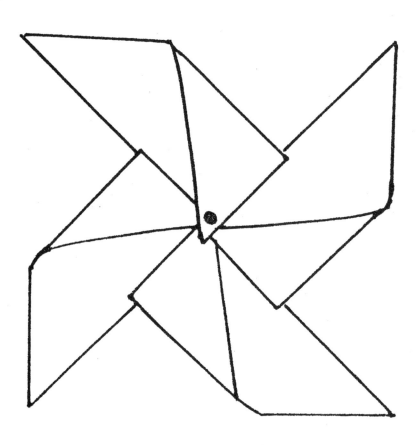

    El molinete de papel, es un trabajo sumamente facil y además que gusta mucho a todos los niños. Tan solo se necesita un cuadrado de papel, para lo que una medida idónea es 15 x 15, una pequeña caña y un alfiler.

1. En tu cuadrado de papel dibuja en las esquinas una línea de parte a parte para dar con el centro.

Corta las cuatro esquinas sin llegar al centro líneas de puntos dibujo (1).

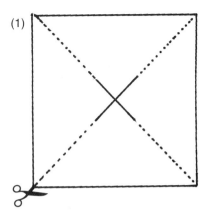

(1)

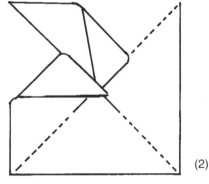

(2)

2. Une las puntas de las esquinas cortadas en el centro del cuadrado alternativamente, una si otra no, pero sin marcar los dobleces, solamente vueltos.

Si quieres antes de pincharlo con el alfiler en la caña para hacerlo más bonito le poner en el centro un círculo de papel de otro color o dibujo para tener otra tonalidad.

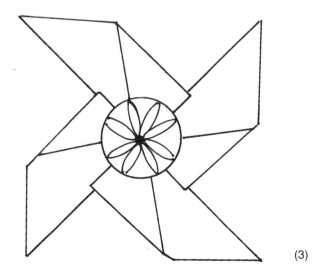

(3)

RATONES DE PAPEL

Crear una familia de ratones de papel es bastante fácil, tan solo necesitas unos cuadrados de cartulina gris un poco de pegamento.

Los cuadrados de papel de varios tamaños, para que sean diferentes cada uno.

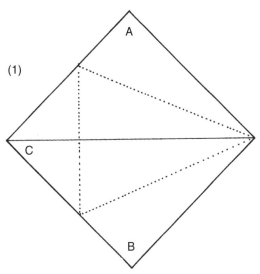

(1)

1. A tu cuadrado en diagonal trázale una línea al centro para que te sirva de base, dibujo (1); las líneas de puntos son los únicos dobleces que tienes que hacer para este trabajo.

2. Sobre la línea sitúa el punto A y dobla; y lo mismo haces con B, luego C, lo doblas también por el borde formado entre A y B. Tu cuadrado tendrá el aspecto que ves en la figura (2), desdobla C, corta con una tijera desde C a A/B; monta A sobre B, hasta * y pega con un poco de pegamento. Lo mismo haces con las dos partes de C; llévalas hasta 0, pegas y doblas hacia abajo.

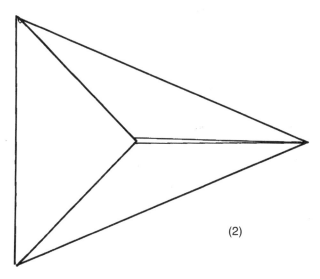

(2)

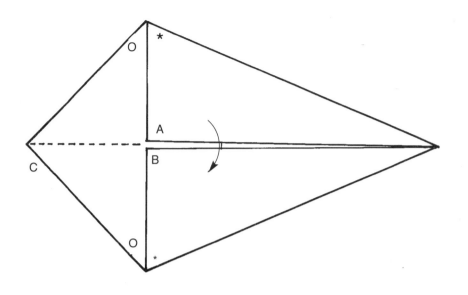

Pega luego las orejas que debes recortar de trozos sobrantes. Utiliza para el rabo también una tira de unos 10 ó 12 cms. de largo de papel, y para que se erice la enrollas en un lápiz luego la pegas y ya tienes un ratón hecho; haz cuantos quieras para componer una familia.

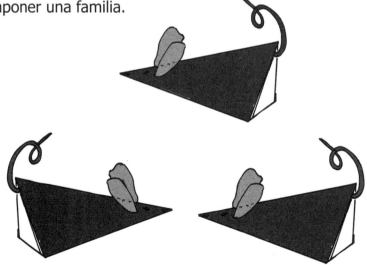

PAJARITA DE PAPEL

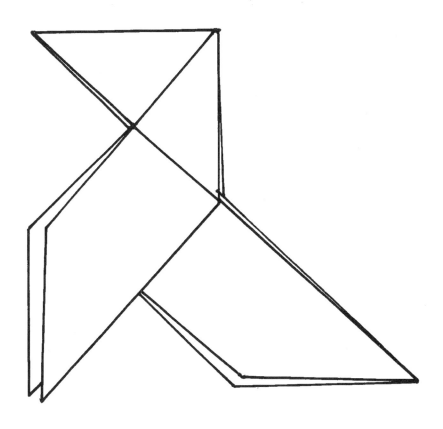

La pajarita de papel, es la figura que todos aprendemos primeramente. No en vano es la más conocida de todas las piezas que se pueden hacer, además sus primeros movimientos en el papel son la base para la mayoría de figuras que se realizan con un cuadrado de papel. Vamos aquí a explicar la forma más sencilla de realizar una pajarita con un cuadrado de papel de libre medida, más grande si quieres una pajarita mayor, o a la inversa.

(1)

El dibujo (1) es tu cuadrado de papel. Cuadrado que tiene que albergar en su interior 16 cuadros más pequeños. Estos se consiguen de la siguiente forma:

1. Dobla tu cuadrado de arriba abajo y de derecha a izquierda dibujo (2) con lo que obtienes el dibujo (3).

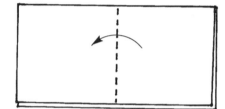

(2)

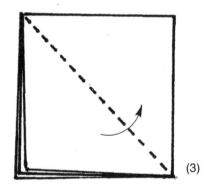

(3)

2. La línea de puntos te indica el siguiente paso cuatro veces una por cada lado, primero una cara y luego otra, desdoblando en el centro A y doblando a la derecha, dibujo (4).

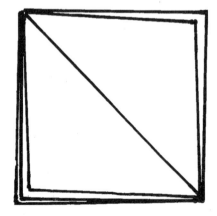

(4)

3. Abre el cuadrado sin quitar lo dobleces y te quedará conforme puedes ver en el dibujo 5. Nuevamente tienes que repetir la operación del principio, de arriba abajo y de derecha a izquierda, con los dobleces por dentro.

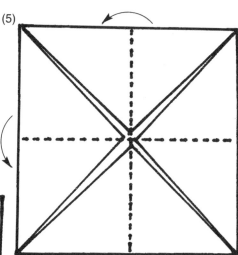

(5)

(6)

4. Repite también la operación de los dibujos 2, 3 y 4. Los cuatro dobleces de esta vez han tomado la forma del dibujo (6).

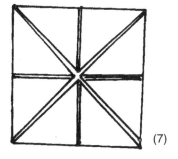

(7)

5. Abre nuevamente el cuadrado que presentará el aspecto que ves en el dibujo (7) y repite toda la operación como tercera y última vez.

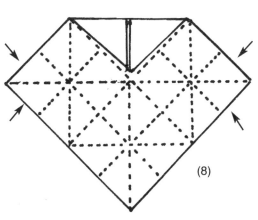

(8)

113

6. Al abrir ahora el cuadrado, despliega 3 centros hacia fuera, y el 4 lo dejas para la cabeza. El resto es facil, con el índice y el pulgar izquierdo, en el lado izquierdo; y con el índice y el pulgar derecho en el lado derecho una pequeña presión y la pajarita se forma sola.

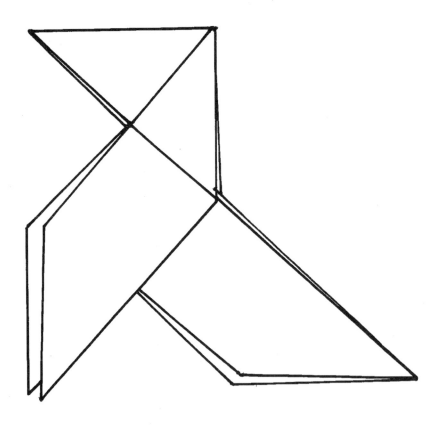

TIENDA DE CAMPAÑA

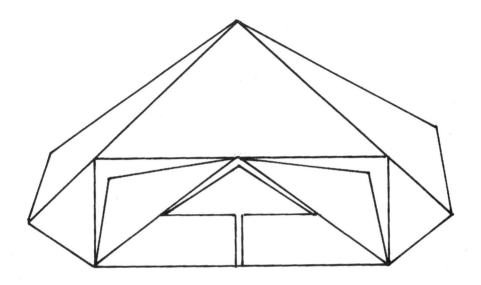

Nuevamente con un cuadrado de papel es lo que te hace falta para crearte una pequeña tienda de campaña de papel.

(1)

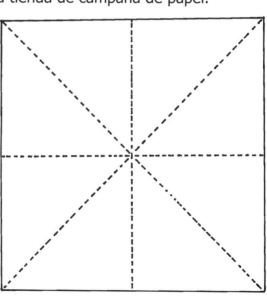

1. Las líneas de puntos en el dibujo 1, son los primeros dobleces que tienes que dar a tu cuadrado de papel.

Como ya sabes, se logra doblando 3 veces el papel, primero en los centros y luego en diagonal, desdóblalo.

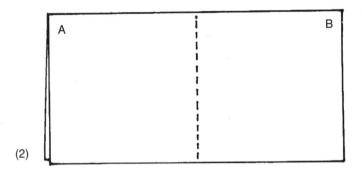

(2)

2. Dobla luego de arriba abajo tu cuadrado de papel, dibujo 2. Toma A en tu mano izquierda y B en la derecha presionando hacia abajo para que ambos puntos se encuentre abajo, dibujo (3).

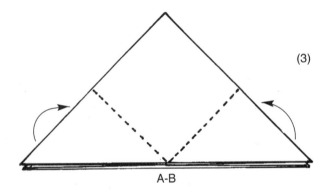

(3)

A-B

3. Dobla hacia arriba solo una parte de las esquinas laterales, obteniendo así lo que ves en el dibujo (4).

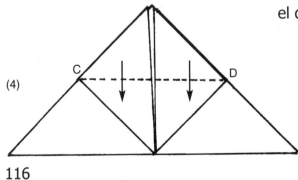

(4)

C   D

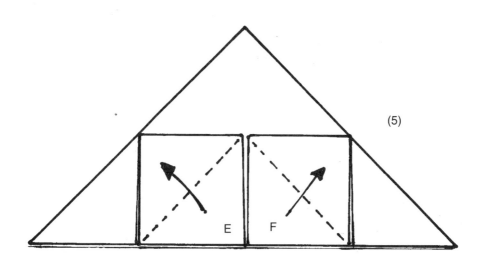

(5)

4. La misma parte que has doblado hacia arriba, vuelvela a doblar ahora hacia abajo por la línea de puntos para hacer pliegues desdóblalo dibujo (4); luego presiona con los dedos en los puntos C y D con lo que obtienes lo que ves en el dibujo (5).

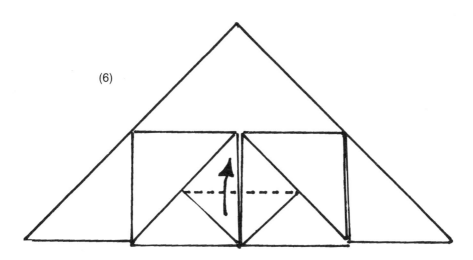

(6)

5. Nuevamente doblar hacia arriba los puntos E y F conforme indica la línea de puntos y obtendrás el resultado del dibujo (6).

117

6. Dobla ahora hacia arriba el pico central que aparece dibujo (6) línea de puntos.

(7)

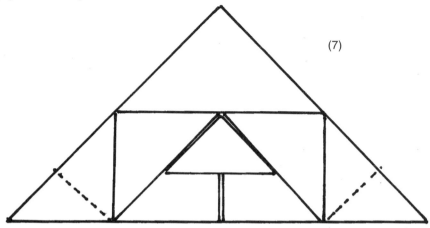

7. Como punto final tu cuadrado de papel se encuentra de esta forma, dibujo (7). Dobla ahora los dos extremos para marcar y pliégalos luego para adentro dibujo (7) con lo que ya tienes terminada tu tienda de campaña.

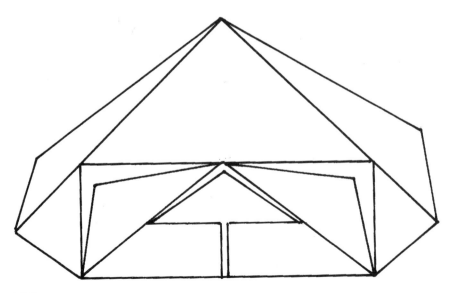

PÁJARO DE ALAS MOVIBLES

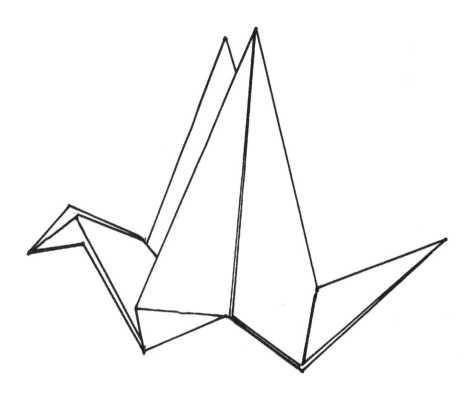

El antiguo arte japonés del papel ha creado trabajos tan importantes como este que te ponemos a continuación, para lo que necesitas como en la mayoría de los casos un cuadrado de papel. La medida puede ser la que tú quieras, aunque siempre es aconsejable en principio hacerlo en papel mayor porque así los dobleces cuestan menos trabajo; por lo que te recomiendo que recuadres un folio de papel como ya sabes:

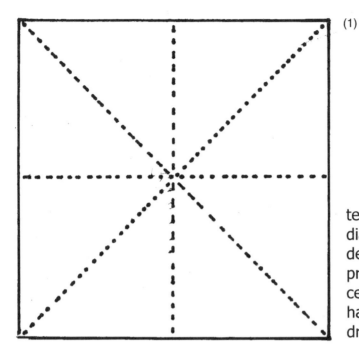

(1)

1. El dibujo 1 te muestra mediante las líneas de puntos los primeros dobleces que debes hacer a tu cuadrado de papel.

2. Sitúa tu cuadrado ahora con las esquinas una arriba otra abajo y las otras a la derecha e izquierda y dobla conforme ves en la dibujo 2; la esquina de arriba hacia abajo introduciendo dentro la de los laterales.

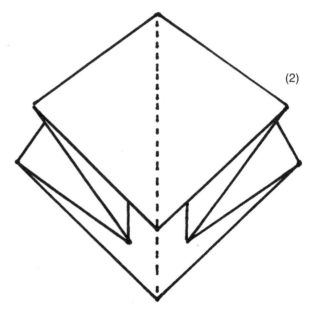

(2)

120

3. Dobla ahora para marcar hacia el centro los laterales conforme ves en las líneas de puntos en el dibujo (3), desdóblalo y pliégalo también hacia dentro, cuatro veces, dos por cada cara.

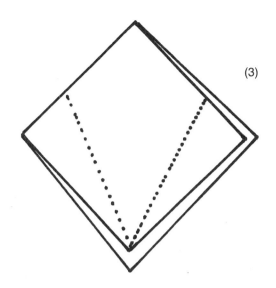

(3)

4. Si hasta aquí los dobleces dados lo llevas bien, tu cuadrado de papel se encuentra conforme se te muestra en el dibujo (4). La línea de puntos te indica nuevamente doblar hacia atrás luego subes para arriba el punto A de ambas caras.

(4)

A

5. Con el doblez dado en la dibujo (4) tu papel tiene que presentar el aspecto que ves en el dibujo (5). Mueve en el sentido de la flecha hasta situarlo conforme el dibujo (6).

(5)

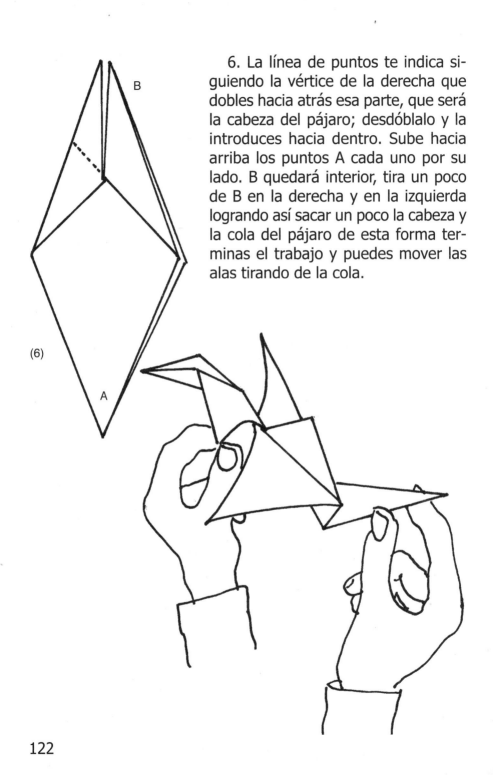

6. La línea de puntos te indica siguiendo la vértice de la derecha que dobles hacia atrás esa parte, que será la cabeza del pájaro; desdóblalo y la introduces hacia dentro. Sube hacia arriba los puntos A cada uno por su lado. B quedará interior, tira un poco de B en la derecha y en la izquierda logrando así sacar un poco la cabeza y la cola del pájaro de esta forma terminas el trabajo y puedes mover las alas tirando de la cola.

(6)

B

A

PINGÜINO DE PAPEL

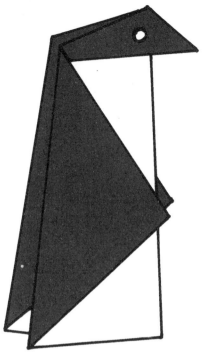

Para hacer este facil trabajo, también necesitas un cuadrado de papel, de la medida que tú quieras, pero si puedes hacerte con uno que sea una cara blanca y otra negra, te saldrá el trabajo bastante más bonito.

1. Sitúa tu cuadrado de papel con la cara blanca hacia ti en diagonal como puedes ver, en el dibujo (1). Dobla la esquina superior hacia abajo y la inferior hacia atrás, tu cuadrado de papel quedará como ves en el dibujo (2).

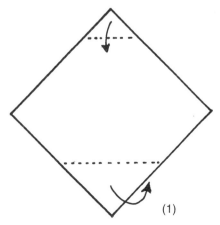

(1)

123

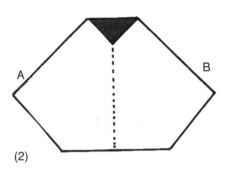

(2)

2. Al centro vertical, línea de puntos, dobla hacia atrás haciendo coincidir los puntos A y B, dibujo (2).

3. La línea de puntos te indica por dónde doblar hacia delante primero A y después B, cada uno por su cara, de esta forma queda la parte negra de tu papel encima de la blanca, dibujo (3).

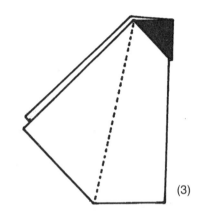

(3)

(4)

4. El dibujo (4), te muestra tu pingüino acabado, solo tienes que tirar un poco hacia fuera de la parte *, el pico presionar un poco en la parto O, para que se aplane y ¡listo!

PEZ

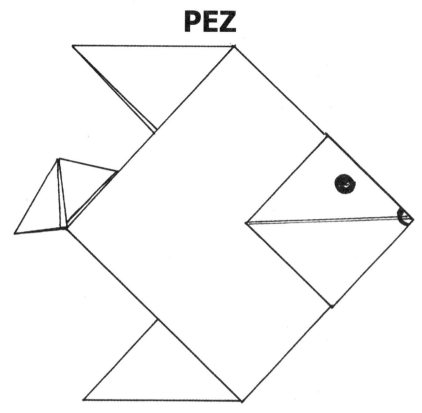

Otro bonito trabajo para el cual se necesita también un cuadrado de papel. Puedes hacer toda una familia de peces grandes y pequeños y colgarlos de un hilo en tu habitación para verlos moverse.

Tu cuadrado de papel tienes que doblarlo en cruz de arriba abajo y de izquierda a derecha como te indica el dibujo (1), líneas de puntos.

(1)

125

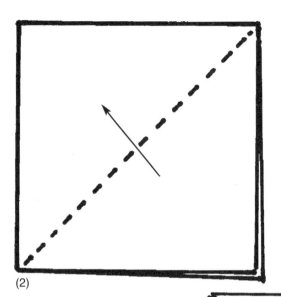

(2)

2. Doblado en cruz tu cuadrado se te presenta tal y como te mostramos en el dibujo (2); cuatro cuadros más pequeños uno encima de otro, sujeto por arriba y la izquierda. La línea de puntos te indica que tienes que subirlas cuatro esquinas inferior derecha hacia la superior izquierda cada una por su lugar correspondiente.

3. Tu cuadrado de papel tendrá la forma que ves en el dibujo (3) al abrirlo. Nuevamente tienes que doblarlo en cruz, de arriba abajo y de izquierda a derecha como al principio dejando por dentro la cara que ves en el dibujo (3). Vuelves a realizar lo que hiciste en el apartado 2, subir las cuatro esquinas inferior derecha hacia la superior izquierda cada una por su lado dibujo (4). La operación la tienes que repetir una tercera vez, exactamente igual.

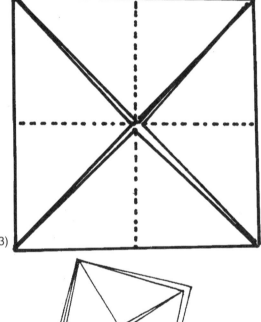

(3)

(4)

126

4. Al final de la tercer vuelta el cuadrado presentará el aspecto que ves en el dibujo (5).

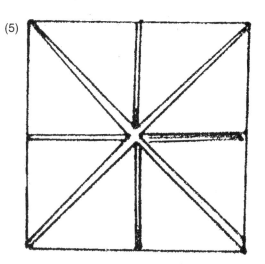

(5)

Entonces desdobla 3 de las partes, dibujo (6), una a tu mano iz-quierda otra a la derecha la que quieras orientar la cabeza de tu pez; dobla luego las alas hacia atrás y pliega un nuevo do-blez en la cola hacia abajo, y ya tienes tu pez listo.

(6)

Índice Manualidades de papel "Papiroflexia"